KB075629

객체지향 게임 프로그래밍

객체지향 게임 프로그래밍

발   행 | 2024년 3월 11일
저   자 | 류 석원
펴낸이 | 한건희
펴낸곳 | 주식회사 부크크
출판사등록 | 2014.07.15.(제2014-16호)
주   소 | 서울특별시 금천구 가산디지털1로 119 SK트윈타워 A동 305호
전   화 | 1670-8316
이메일 | info@bookk.co.kr

ISBN | 979-11-410-7590-3

객체지향 게임 프로그래밍

류 석원 지음

CONTENT

머리말   5

Chapter 1. Object Oriented Programming

1. 객체지향 프로그램 언어의 특징   6

2. Class   7

3. Constructor and Destructor   12

4. Object Pointer   22

5. Inheritance   39

6. Template Function   52

7. Copy Constructor with No Error   64

Chapter 2. Breadth First Search

1. Breadth First Search   82

2. 길 찾기 게임 만들기   112

현재에 있어서 인간의 문명은 4차 산업을 중심으로 발전하고 있으며, 그중에서 기초가 되는 컴퓨터 그래픽스는 매우 흥미로운 분야가 되었다. 그래픽스를 중심으로 게임과 애니메이션이 발전했으며, 가상현실과 증강현실을 넘어 이제는 메타버스까지 출현하였다.

게임 분야는 인공지능과 그래픽스를 결합한 형태로 구성되며, 인공지능 분야 중에서 경로 찾는 과정은 중요한 연구 분야들 중 하나이다. 주변의 장애물들을 피해서 플레이어와 적 사이의 최단 경로를 찾는 것은 게임 개발에 필수적인 요소이다.

이 책에서는 게임 개발에 사용하는 C++ 객체지향 프로그램 언어에 대해 알아보고, 이 언어를 사용하여 게임에서 사용하는 최단 경로 찾는 과정에 대해 알아본다. 이 책이 게임분야에 관심이 있는 분들에게 도움이 되기를 바란다.

柳 碩垣

Chapter 1. Object Oriented Programming

1. 객체지향 프로그램 언어의 특징

객체지향 프로그램 언어인 c++의 특징으로는 다음과 같이 다형성, 추상화, 캡슐화, 상속 등 4가지가 있다.

1) 다형성 (= Polymorphism) - 같은 이름의 함수들이 여러 개 존재한다. 그러나 매개변수들의 개수나 자료형이 모두 각각 달라야 한다.

2) 추상화 (= Abstraction) - 서로 연관된 변수들과 함수들을 모아 클래스 개념으로 정의하고 객체를 생성한다.

3) 캡슐화 (= Encapsulation) - 클래스 내에서 private과 public 명령어를 사용하여 외부에서 허가 받은 경우에만 접근할 수 있는 권한을 부여한다.

4) 상속성 (= Inheritance) - 자식 클래스에서 부모에 해당하는 상위 클래스의 멤버 변수들과 멤버 함수들을 물려받아 사용한다.

디폴트 함수 매개변수 (= Default function parameter)는 멤버 함수 선언 시, 함수 매개변수에 초기값을 지정하는 것을 의미한다. 함수 호출시, 매개변수를 전달하면 그 값을 그대로 사용하고, 함수 호출 시, 매개변수를 전달하지 않으면 함수 선언 시에 지정한 초기값을 대신 사용한다. 함수 매개변수 선언 시, 자료형 앞에 const 붙이면 함수 내에서 해당 매개변수의 값을 변경할 수 없다. 디폴트 값은 함수 매개변수 리스트에서 오른쪽부터 시작해서 왼쪽 방향으로 지정해야 한다.

Function Overloading은 함수 반환형, 함수 매개변수의 개수나 자료형을 달리하여 함수 이름이 같은 여러 개의 함수를 정의하는 방법이다. 같은 이름의 여러 함수들을 구분하기 위해서, 함수 반환형, 함수 매개변수의 개수나 자료형을 다르게 사용한다.

2. Class

클래스 정의를 추상화 (= Abstraction)이라고 한다. 클래스는 자료를 저장하는 변수들의 모임 + 자료를 처리하는 함수들의 모임이라고 할 수 있다. 그래서 클래스는 새로 선언된 자료형 틀이라고 할 수 있고, 클래스로 선언된 대상은 생성된 객체 (= Object)라고 할 수 있다.

클래스에서 선언은 기본적으로 private 이다. 클래스에서 선언은 주로 변수들을 private으로 먼저 선언하고, 함수들은 public으로 나중에 선언한다. 그래서 함수들을 통해서 변수들의 값을 읽거나 수정한다. 이것을 캡슐화 (= Encapsulation)이라고 한다.

[프로그램 예]
```
#include "stdafx.h"
#include <iostream>
#include <string>
using namespace std;

class Television {
private:
    int inch;
    int channel_number;
```

```
    int volume;
    bool cable;      // cable TV is connected or not
    bool video;      // video is connected or not
    bool xbox;       // xbox is connected or not
    bool hd;         // high definition TV or not

public:
    void Initialize(){
        inch = 50;
        channel_number = 0;
        volume = 0;
        cable = true;
        video = true;
        xbox = false;
        hd = false;
    }


    int GetInch(){
        return inch;
    }
    int GetChannelNumber(){
        return channel_number;
    }


    void SetChannelNumber(int pNumber){
```

```cpp
        if ((pNumber >= 0) && (pNumber <= 50)){
                channel_number = pNumber;
                        // channel number 값이 [0 ~ 50] 인
                        // 경우에만 수정이 된다.
                cout << "Channel number has been change
                        to " << channel_number << endl;
        }
        if ((pNumber < 0) || (pNumber > 50)){
                cout << "Channel number can not be
                        changed to " << pNumber
                << " because of out of range [0 ~ 50]"
                << endl;
        }
}


int GetVolume(){
        return volume;
}


void SetVolume(int pVolume){
        if ((pVolume >= 0) && (pVolume <= 100)){
                volume = pVolume;
                        // volume 값이 [0 ~ 100] 인 경우에만
                        // 수정이 된다.
                cout << "Volume has been change to "
```

```cpp
                                                        << volume << endl;
                }
                if ((pVolume < 0) || (pVolume > 100)){
                        cout << "Volume can not be changed to "
                        << pVolume << " because of out of range
                        [0 ~ 100]" << endl;
                }
        }
        bool GetCable(){
                return cable;
        }
};


int main() {
        Television SStv, LGtv, HDtv;
        bool result;

        cout << "    #06 - Class - 01" << endl << endl;
        SStv.Initialize();
        LGtv.Initialize();
        HDtv.Initialize();

        cout << "SStv:  Inch = " << SStv.GetInch()
                << ",  Channel number = "
                << SStv.GetChannelNumber()
```

```cpp
        << ",  Volume = " << SStv.GetVolume();
result = SStv.GetCable();
if (result == true) cout << ",  Cable is connected." << endl;
if (result == false) cout << ",  Cable is not connected."
<< endl;


SStv.SetChannelNumber(30);
SStv.SetChannelNumber(300);
cout << "SStv:  Inch = " << SStv.GetInch()
        << ",  Channel number = "
        << SStv.GetChannelNumber()
        << ",  Volume = " << SStv.GetVolume();
result = SStv.GetCable();
if (result == true) cout << ",  Cable is connected." << endl;
if (result == false) cout << ",  Cable is not connected."
                                << endl;


SStv.SetVolume(70);
SStv.SetVolume(700);
cout << "SStv:  Inch = " << SStv.GetInch()
        << ",  Channel number = "
        << SStv.GetChannelNumber()
        << ",  Volume = " << SStv.GetVolume();
result = SStv.GetCable();
if (result == true) cout << ",  Cable is connected." << endl;
```

```
        if (result == false) cout << ",  Cable is not connected."
    << endl;
        return 0;
    }
```

[실행 결과]
  #06 - Class - 01

SStv: Inch = 50, Channel number = 0, Volume = 0, Cable is connected.

  Channel number has been change to 30

  Channel number can not be changed to 300 because of out of range [0 ~ 50]

  SStv: Inch = 50, Channel number = 30, Volume = 0, Cable is connected.

  Volume has been change to 70

  Volume can not be changed to 700 because of out of range [0 ~100]

  SStv: Inch = 50, Channel number = 30, Volume = 70, Cable is connected.

3. Constructor and Destructor

  This는 객체 자기 자신을 가리키는 포인터이다. 생성자 (= Constructor)는 객체가 생성될 때 자동으로 실행되는 함수이며, 자주 사용하는 편이며, 주로 멤버 변수들의 초기값을 지정하는 일을 한다.

생성자의 특징은 다음과 같다:

1. 특별한 멤버함수이다.

2. 생성자의 이름은 클래스이름과 같다.

3. 생성자는 자료형을 지정하지 않는다.

4. 생성자는 멤버 변수를 초기화 한다.

5. 생성자 오버로딩을 통해 객체마다 다양한 형태로 초기값을 가질 수 있도록 할 수 있다.

소멸자 (= Destructor)는 생성자의 반대되는 개념이다.

소멸자의 특징은 다음과 같다:

1. 소멸자는 객체가 소멸될 때 자동으로 실행되는 함수이다.

2. 소멸자는 객체를 정리해주는 멤버 함수이다.

3. 소멸자의 이름은 클래스이름과 같은데 이름 앞에 ~ 기호를 붙인다.

4. 소멸자는 자료형을 지정하지 않는다.

5. 소멸자는 매개변수를 전달할 수 없다.


```cpp
class Television {
private:
public:
    Television(){    // 생성자는 꼭 public 이어야 하고,
                     // 클래스 이름과 같아야 한다. 자료형이 없다.

    }

    ~Television(){   // 소멸자는 꼭 public 이어야 하고,
                     // 클래스 이름과 같아야 하며, ~가 붙어야 한다.
```

```
                    // 그리고 자료형이 없다.
        }
    };
```

생성자는 주로 멤버 변수들의 초기값을 지정하는 일을 하므로 이전에 만든 함수 Initialize() 기능을 생성자로 대체한다. 생성자 초기화 목록은 생성자 함수를 간단하게 표현하는 방법이다.

[프로그램 예]
```cpp
#include "stdafx.h"
#include <iostream>
#include <string>
using namespace std;

class Television {
private:
        int inch;
        int channel_number;
        int volume;
        bool cable;     // cable TV is connected or not
        bool video;     // video is connected or not
        bool xbox;      // xbox is connected or not
        bool hd;        // high definition TV or not
public:
        // 생성자 오버로딩 #1
```

```
Television(){
        inch = 50;
        channel_number = 0;
        volume = 0;
        cable = true;
        video = true;
        xbox = false;
        hd = false;
}


// 생성자 오버로딩 #1 - 생성자 초기화 목록 형태로 변경한 것임
Television() : inch(50), channel_number(0), volume(0),
        cable(true), video(true), xbox(false), hd(false) {}


// 생성자 오버로딩 #2
Television(int pInch, int pChannelNumber, int pVolume,
        bool pCable, bool pVideo, bool pXbox, bool pHd){
        inch = pInch;
        channel_number = pChannelNumber;
        volume = pVolume;
        cable = pCable;
        video = pVideo;
        xbox = pXbox;
        hd = pHd;
}
```

```cpp
// 생성자 오버로딩 #2 - 생성자 초기화 목록 형태로 변경한 것임
Television(int pInch, int pChannelNumber, int pVolume,
        bool pCable, bool pVideo, bool pXbox, bool pHd) :
        inch(pInch),channel_number(pChannelNumber),
        volume(pVolume), cable(pCable), video(pVideo),
        xbox(pXbox), hd(pHd) {}


~Television(){  // 소멸자
}

int GetInch(){
        return inch;
}
int GetChannelNumber(){
        return channel_number;
}


void SetChannelNumber(int pNumber){
        if ((pNumber >= 0) && (pNumber <= 50)){
                channel_number = pNumber;
                        // channel number 값이 [0 ~ 50]인
                        // 경우에만 수정이 된다.
                cout << "Channel number has been change
                        to " << channel_number << endl;
        }
```

```cpp
        if ((pNumber < 0) || (pNumber > 50)){
                cout << "Channel number can not be
                changed to " << pNumber << " because of
                out of range [0 ~ 50]" << endl;
        }
}


int GetVolume(){
        return volume;
}
void SetVolume(int pVolume){
        if ((pVolume >= 0) && (pVolume <= 100)){
                volume = pVolume;  // volume 값이
                        // [0 ~ 100] 인 경우에만 수정이 된다.
                cout << "Volume has been change to "
                        << volume << endl;
        }
        if ((pVolume < 0) || (pVolume > 100)){
                cout << "Volume can not be changed to "
                        << pVolume << " because of out of
                                range [0 ~ 100]" << endl;
        }
}

bool GetCable(){
```

```cpp
                return cable;
        }
        void PrintThis(){
                cout << "Address = " << this << endl;
        }
};  //  end of      class Television


int main() {
        Television SStv;   // 생성자 오버로딩 #1로 만든 경우임
                        // (50, 0, 0, true, true, false, false)와 같음
        Television LGtv(40, 10, 5, false, false, true, true);
                     // 생성자 오버로딩 #2로 만든 경우임
        Television HDtv = Television(35, 5, 10, false, true, false,
                                true);   // 다른 표현 방법임
        bool result;

        cout << "   #07 - Constructor and Destructor - 01"
              << endl;
        // This는 객체 자기 자신을 가리키는 포인터이다.
        // 객체 앞에 &를 붙이는 것이 바로 this와 같은 의미가 된다.
        cout << "Address = " << &SStv << endl;
        SStv.PrintThis();
        cout << endl;
        cout << "Address = " << &LGtv << endl;
        LGtv.PrintThis();
```

```cpp
cout << endl;
cout << "Address = " << &HDtv << endl;
HDtv.PrintThis();
cout << endl << endl;
cout << " 2) Constructor and Destructor "
        << endl;
cout << "SStv:  Inch = " << SStv.GetInch()
        << ",  Channel number = "
        << SStv.GetChannelNumber()
        << ",  Volume = " << SStv.GetVolume();

result = SStv.GetCable();
if (result == true) cout << ",  Cable is connected." << endl;
if (result == false) cout << ",  Cable is not connected."
<< endl;

SStv.SetChannelNumber(30);
cout << "SStv:  Inch = " << SStv.GetInch()
        << ",  Channel number = "
        << SStv.GetChannelNumber()
        << ",  Volume = " << SStv.GetVolume();

result = SStv.GetCable();
if (result == true) cout << ",  Cable is connected." << endl;
if (result == false) cout << ",  Cable is not connected."
```

```
        << endl;
SStv.SetVolume(70);
cout << "SStv:  Inch = " << SStv.GetInch()
        << ",  Channel number = "
        << SStv.GetChannelNumber()
        << ",  Volume = " << SStv.GetVolume();

result = SStv.GetCable();
if (result == true) cout << ",  Cable is connected." << endl;
if (result == false) cout << ",  Cable is not connected."
                                << endl;
cout << "LGtv:  Inch = " << LGtv.GetInch()
        << ",  Channel number = "
        << LGtv.GetChannelNumber()
        << ",  Volume = " << LGtv.GetVolume();
result = LGtv.GetCable();
if (result == true) cout << ",  Cable is connected." << endl;
if (result == false) cout << ",  Cable is not connected."
                                << endl;

cout << "HDtv:  Inch = " << HDtv.GetInch()
        << ",  Channel number = "
        << HDtv.GetChannelNumber()
        << ",  Volume = " << HDtv.GetVolume();
result = HDtv.GetCable();
```

```
        if (result == true) cout << ",  Cable is connected." << endl;
        if (result == false) cout << ",  Cable is not connected."
                                                    << endl;

        return 0;
    }
```

[실행 결과]
    #07 - Constructor and Destructor - 01
Address = 0072FA54
Address = 0072FA54

Address = 0072FA3C
Address = 0072FA3C

Address = 0072FA24
Address = 0072FA24

  2) Constructor and Destructor
SStv: Inch = 50, Channel number = 0, Volume = 0, Cable is
connected.
Channel number has been change to 30
SStv: Inch = 50, Channel number = 30, Volume = 0, Cable
is connected.
Volume has been change to 70
SStv: Inch = 50, Channel number = 30, Volume = 70, Cable

is connected.

LGtv: Inch = 40, Channel number = 10, Volume = 5, Cable is not connected.

HDtv: Inch = 35, Channel number = 5, Volume = 10, Cable is not connected.

4. Object Pointer

객체 포인터는 객체의 주소에 관한 포인터 변수를 의미한다. 선언 형식은 다음과 같이 *를 사용하여 표현한다.

클래스이름   *객체포인터_변수이름;

NewClass   Object(10);   // 객체 생성

NewClass   *Pointer_Object;   // 객체 포인터 생성

Pointer_Object = &Object;   // 객체 포인터에다 객체의 주소를 지정함

객체에서 멤버변수나 멤버함수를 접근할 때는 객체.멤버변수 또는 객체.멤버함수와 같이 .을 사용하고, 객체포인터에서 멤버변수나 멤버함수를 접근할 때는 객체포인터->멤버변수 또는 객체포인터->멤버함수와 같이 -> 을 사용한다. 객체를 함수의 매개변수로 사용하기도 한다. 같은 클래스로 선언된 객체끼리는 마치 변수에서 사용하는 것과 같은 방법으로 = 을 사용하여 객체단위로 바로 멤버 변수값들을 전달할 수 있다.

값에 의한 함수 전달 방식으로 객체를 전달하는 방법은 main()에서 함수 F_SwapTwoObjects()에 값만 전달되므로 제대로 바뀌지 않는다. 참고로, 함수 F_SwapTwoObjects()는 클래스에 속하는 것이 아니다. 그래서

main() 바로 위에서 선언된다.

```
void F_SwapTwoObjects (Television x, Television y){
        Television t;
        t = x;
        x = y;
        y = t;
}


main() {
        F_SwapTwoObjects (SStv, LGtv);
}
```

main() 함수에다 객체 형태의 자료형인 함수 이름으로 결과를 전달하는 방법은 함수에서 계산한 결과를 return 문 다음에 객체형 변수를 써서 반환한다. 함수의 자료형이 바로 객체의 클래스가 된다. 함수 F_Choose_LargerByInch()는 클래스에 속하는 것이 아니다. 그래서 main() 바로 위에서 선언된다.

```
Television F_ChooseLargerByInch(Television x, Television y){
        Television t;
        if (x.GetInch() >= y.GetInch()) t = x;
        else t = y;
        return t;
}
```

```
main(){
     SKtv = F_ChooseLargerByInch (SStv, LGtv);
}
```

주소에 의한 함수 전달 방식으로 객체를 전달하는 방법은 main()에서 함수 F_SwapTwoObjectsByAdress()에 객체의 주소가 전달되므로 제대로 바뀐다. 참고로, 함수 F_SwapTwoObjectsByAdress()는 클래스에 속하는 것이 아니다. 그래서 main() 바로 위에서 선언된다.

```
// 컴파일 문제가 발생하는 경우, 이 방법을 사용한다.
void F_SwapTwoObjectsByAdress (Television *x, Television *y){
     Television t;              // 객체 생성
     Television *Pointer_t;  // 객체 포인터 생성
     Pointer_t = &t;     // 객체 포인터에 생성된 객체의 주소를 저장
     *Pointer_t = *x;
     *x = *y;
     *y = *Pointer_t;
};
```

```
main(){
     F_SwapTwoObjectsByAdress (&SStv, &HDtv);
}
```

객체 배열은 객체를 원소로 가지는 배열을 객체 배열이라고 한다. 선언은 다음과 같다. 클래스이름 객체배열이름 [원소 개수]. 객체배열의 초기화는

다음과 같이 하며, 객체배열의 각 원소의 멤버함수는   .을 사용하여 참조한다.

```
Television Television_Array[4] = {
             Television(25,  5,  10,  false,  true,  false,  true),
             Television(30, 10, 10, true, true, false, false),
             Television(35,  15,  10,  true,  false,  true,  true),
             Television(40, 20, 10, false, false, false, true) };
```

일반 멤버 변수들은 객체가 생성될 때 마다 메모리 영역을 개별적으로 할당 받는다. 정적 멤버 변수는 클래스가 생성될 때 생성되며, 객체가 생성되는 것과는 상관없다. 정적 멤버 변수는 static 명령어를 사용해서 생성하며, 해당 클래스의 모든 객체들 사이에서 공유된다. 정적 멤버 함수도 정적 멤버 변수와 같은 개념이다.

일반 함수에서는 클래스의 private 멤버 변수를 사용할 수 없다. 그런데 굳이 사용하려면 사용을 허용해주는 함수가 프렌드 함수이다. 그러나, 프렌드 함수는 C++의 특징인 켑슐화 Encapsulation에 위배되므로 사용하지 않는 것이 좋다.

[프로그램 예]
```
#include "stdafx.h"
#include <iostream>
#include <string>
using namespace std;
```

```cpp
class Television {
private:
        int inch;
        int channel_number;
        int volume;
        bool cable;     // cable TV is connected or not
        bool video;     // video is connected or not
        bool xbox;      // xbox is connected or not
        bool hd;        // high definition TV or not


public:
        // 생성자 오버로딩 #1
        Television(){
                inch = 50;
                channel_number = 0;
                volume = 0;
                cable = true;
                video = true;
                xbox = false;
                hd = false;
        }


        // 생성자 오버로딩 #1 - 위와 같은 내용인데 생성자 초기화 목록
        // 형태로 변경한 것임
        Television() : inch(50), channel_number(0), volume(0),
```

```cpp
        cable(true), video(true), xbox(false), hd(false) {}


// 생성자 오버로딩 #2
Television(int pInch, int pChannelNumber, int pVolume,
        bool pCable, bool pVideo, bool pXbox, bool pHd){
        inch = pInch;
        channel_number = pChannelNumber;
        volume = pVolume;
        cable = pCable;
        video = pVideo;
        xbox = pXbox;
        hd = pHd;
}


// 생성자 오버로딩 #2 - 위와 같은 내용인데 생성자 초기화 목록
// 형태로 변경한 것임
Television(int pInch, int pChannelNumber, int pVolume,
bool pCable, bool pVideo, bool pXbox, bool pHd) :
inch(pInch), channel_number(pChannelNumber),
volume(pVolume), cable(pCable), video(pVideo),
xbox(pXbox), hd(pHd) {}
~Television(){  // 소멸자
}


int GetInch(){
```

```cpp
        return inch;
}
int GetChannelNumber(){
        return channel_number;
}

void SetChannelNumber(int pNumber){
        if ((pNumber >= 0) && (pNumber <= 50)){
                channel_number = pNumber;
                // [0 ~ 50] 인 경우에만 수정이 된다.
                cout << "Channel number has been change
                        to " << channel_number << endl;
        }
        if ((pNumber < 0) || (pNumber > 50)){
                cout << "Channel number can not be
                changed to " << pNumber << " because of
                out of range [0 ~ 50]" << endl;
        }
}

int GetVolume(){
        return volume;
}
void SetVolume(int pVolume){
        if ((pVolume >= 0) && (pVolume <= 100)){
```

```cpp
            volume = pVolume;
            // [0 ~ 100] 인 경우에만 수정이 된다.
            cout << "Volume has been change to "
        << volume << endl;
        }
        if ((pVolume < 0) || (pVolume > 100)){
            cout << "Volume can not be changed to "
            << pVolume << " because of out of range
                [0 ~ 100]" << endl;
        }
    }


    bool GetCable(){
        return cable;
    }


    void PrintThis(){
        cout << "Address = " << this << endl;
    }
}; // end of    class Television


void F_SwapTwoObjects(Television x, Television y){
    Television temp_object;
    temp_object = x;
    x = y;
```

```cpp
        y = temp_object;
};


Television F_ChooseLargerByInch(Television x, Television y){
        Television t;
        if (x.GetInch() >= y.GetInch()) t = x;
        else t = y;
        return t;
}


void F_SwapTwoObjectsByAdress(Television *x, Television *y){
        Television t;                    // 객체 생성
        Television *Pointer_t;           // 객체 포인터 생성
        Pointer_t = &t;// 객체 포인터에 생성된 객체의 주소를 저장
        *Pointer_t = *x;
        *x = *y;
        *y = *Pointer_t;
};


int main() {
        Television SStv;   // 생성자 오버로딩 #1로 만든 경우임.
                        // (50, 0, 0, true, true, false, false)와 같음
        Television LGtv(40, 10, 5, false, false, true, true);
                        // 생성자 오버로딩 #2로 만든 경우임
```

```
Television HDtv = Television(35, 5, 10, false, true, false,
                                        true);   // 다른 표현 방법이다
Television SKtv;
bool result;
int i;
Television *Pointer_SStv;
Television Television_Array[4] =
        { Television(25, 5, 10, false, true, false, true),
        Television(30, 10, 10, true, true, false, false),
        Television(35, 15, 10, true, false, true, true),
        Television(40, 20, 10, false, false, false, true) };


cout << "   #07 - 5 - Object Pointer" << endl << endl;
// 객체를 사용함
cout << "SStv:  Inch = " << SStv.GetInch()
        << ",  Channel number = "
        << SStv.GetChannelNumber()
        << ",  Volume = " << SStv.GetVolume();
result = SStv.GetCable();
if (result == true) cout << ",  Cable is connected." << endl;
if (result == false) cout << ",  Cable is not connected."
                                << endl;


// 객체 대신에 객체 포인터 변수를 사용함
Pointer_SStv = &SStv;
```

```cpp
cout << "SStv:  Inch = " << Pointer_SStv->GetInch()
        << ",   Channel number = "
        << Pointer_SStv->GetChannelNumber()
        << ",   Volume = " << Pointer_SStv->GetVolume();
result = Pointer_SStv->GetCable();
if (result == true) cout << ",   Cable is connected." << endl;
if (result == false) cout << ",   Cable is not connected."
                                        << endl;
cout << endl << endl;


cout << " 2-1) 값에 의한 함수 전달 방식으로 객체를 전달
하는 방법 " << endl;
cout << "SStv:  Inch = " << SStv.GetInch()
        << ",   Channel number = "
        << SStv.GetChannelNumber()
        << ",   Volume = " << SStv.GetVolume();
result = SStv.GetCable();
if (result == true) cout << ",   Cable is connected." << endl;
if (result == false) cout << ",   Cable is not connected."
                                        << endl;
cout << "LGtv:  Inch = " << LGtv.GetInch()
        << ",   Channel number = "
        << LGtv.GetChannelNumber()
        << ",   Volume = " << LGtv.GetVolume();
result = LGtv.GetCable();
```

```cpp
if (result == true) cout << ",  Cable is connected." << endl;
if (result == false) cout << ",  Cable is not connected."
                                        << endl;
// SStv와 LGtv 값을 서로 교환하려고 함.
// 그러나, 제대로 교환되지 않는다.
F_SwapTwoObjects(SStv, LGtv);
cout << " SStv와 LGtv 값을 서로 교환한 후의 결과.
                  제대로 교환되지 않는다 " << endl;
cout << "SStv:  Inch = " << SStv.GetInch()
        << ",  Channel number = "
        << SStv.GetChannelNumber()
        << ",  Volume = " << SStv.GetVolume();
result = SStv.GetCable();
if (result == true) cout << ",  Cable is connected." << endl;
if (result == false) cout << ",  Cable is not connected."
                                        << endl;
cout << "LGtv:  Inch = " << LGtv.GetInch()
        << ",  Channel number = "
        << LGtv.GetChannelNumber()
        << ",  Volume = " << LGtv.GetVolume();

result = LGtv.GetCable();
if (result == true) cout << ",  Cable is connected." << endl;
if (result == false) cout << ",  Cable is not connected."
                                        << endl;
```

```
cout << endl << endl;

cout << " 2-2) main() 함수에다 객체 형태의 자료형인
        함수 이름으로 결과를 전달하는 방법 " << endl;
cout << "SStv:  Inch = " << SStv.GetInch()
        << ",  Channel number = "
        << SStv.GetChannelNumber()
        << ",  Volume = " << SStv.GetVolume();
result = SStv.GetCable();
if (result == true) cout << ",  Cable is connected." << endl;
if (result == false) cout << ",  Cable is not connected."
                                    << endl;
cout << "LGtv:  Inch = " << LGtv.GetInch()
        << ",  Channel number = "
        << LGtv.GetChannelNumber()
        << ",  Volume = " << LGtv.GetVolume();

result = LGtv.GetCable();
if (result == true) cout << ",  Cable is connected." << endl;
if (result == false) cout << ",  Cable is not connected."
                                    << endl;
// SStv의 inch 값과 LGtv의 inch 값을 비교해서 더 큰 것을
// 찾아 함수이름으로 main() 함수에 결과를 보낸다
SKtv = F_ChooseLargerByInch(SStv, LGtv);
cout << " SStv의 inch 값과 LGtv의 inch 값을 비교해서 더 큰
```

것을 찾아 함수이름으로 main() 함수에 보낸 결과 "

《 endl;

cout 《 "SKtv: Inch = " 《 SKtv.GetInch()

《 ", Channel number = "

《 SKtv.GetChannelNumber()

《 ", Volume = " 《 SKtv.GetVolume();

result = SKtv.GetCable();

if (result == true) cout 《 ", Cable is connected." 《 endl;

if (result == false) cout 《 ", Cable is not connected."

《 endl;

cout 《 endl 《 endl;

cout 《 " 2-3) 주소에 의한 함수 전달 방식으로 객체를

전달하는 방법 " 《 endl;

cout 《 "SStv: Inch = " 《 SStv.GetInch()

《 ", Channel number = "

《 SStv.GetChannelNumber()

《 ", Volume = " 《 SStv.GetVolume();

result = SStv.GetCable();

if (result == true) cout 《 ", Cable is connected." 《 endl;

if (result == false) cout 《 ", Cable is not connected."

《 endl;

cout 《 "HDtv: Inch = " 《 HDtv.GetInch()

《 ", Channel number = "

《 HDtv.GetChannelNumber()

```cpp
            << ",  Volume = " << HDtv.GetVolume();
result = HDtv.GetCable();
if (result == true) cout << ",  Cable is connected." << endl;
if (result == false) cout << ",  Cable is not connected."
                                        << endl;
// SStv 값과 HDtv 값을 서로 교환함.
// 결과적으로, 제대로 교환된다.
F_SwapTwoObjectsByAdress(&SStv, &HDtv);
cout << " SStv 값과 HDtv 값을 서로 교환한 후의 결과.
        제대로 교환된다 " << endl;
cout << "SStv:  Inch = " << SStv.GetInch()
        << ",  Channel number = "
        << SStv.GetChannelNumber()
        << ",  Volume = " << SStv.GetVolume();
result = SStv.GetCable();
if (result == true) cout << ",  Cable is connected." << endl;
if (result == false) cout << ",  Cable is not connected."
                                        << endl;
cout << "HDtv:  Inch = " << HDtv.GetInch()
        << ",  Channel number = "
        << HDtv.GetChannelNumber()
        << ",  Volume = " << HDtv.GetVolume();

result = HDtv.GetCable();
if (result == true) cout << ",  Cable is connected." << endl;
```

```cpp
        if (result == false) cout << ",  Cable is not connected."
                                        << endl;
    cout << endl << endl;


    cout << " 2-4) 객체 배열 " << endl;
    for (i = 0; i <= 3; i++){
            cout << "Television_Array[" << i << "]:  ";
            cout << "Inch = " << Television_Array[i].GetInch()
                    << ",  Channel number = "
                    << Television_Array[i].GetChannelNumber()
                    << ",  Volume = "
                    << Television_Array[i].GetVolume()
                    << endl << endl;
    }
    return 0;
}
```

[실행 결과]

#07 - 5 - Object Pointer

SStv: Inch = 50, Channel number = 0, Volume = 0, Cable is connected.

SStv: Inch = 50, Channel number = 0, Volume = 0, Cable is connected.

2-1) 값에 의한 함수 전달 방식으로 객체를 전달하는 방법

SStv: Inch = 50, Channel number = 0, Volume = 0, Cable is connected.

LGtv: Inch = 40, Channel number = 10, Volume = 5, Cable is not connected.

SStv와 LGtv 값을 서로 교환한 후의 결과. 제대로 교환되지 않는다

SStv: Inch = 50, Channel number = 0, Volume = 0, Cable is connected.

LGtv: Inch = 40, Channel number = 10, Volume = 5, Cable is not connected.

2-2) main() 함수에다 객체 형태의 자료형인 함수 이름으로 결과를 전달하는 방법

SStv: Inch = 50, Channel number = 0, Volume = 0, Cable is connected.

LGtv: Inch = 40, Channel number = 10, Volume = 5, Cable is not connected.

SStv의 inch 값과 LGtv의 inch 값을 비교해서 더 큰 것을 찾아 함수이름으로 main() 함수에 보낸 결과

SKtv: Inch = 50, Channel number = 0, Volume = 0, Cable is connected.

2-3) 주소에 의한 함수 전달 방식으로 객체를 전달하는 방법

SStv: Inch = 50, Channel number = 0, Volume = 0, Cable is connected.

HDtv: Inch = 35, Channel number = 5, Volume = 10, Cable is not connected.

SStv 값과 HDtv 값을 서로 교환한 후의 결과.   제대로 교환된다

SStv: Inch = 35, Channel number = 5, Volume = 10, Cable is not connected.

HDtv: Inch = 50, Channel number = 0, Volume = 0, Cable is connected.

2-4) 객체 배열

Television_Array[0]: Inch = 25, Channel number = 5, Volume = 10

Television_Array[1]: Inch = 30, Channel number = 10, Volume = 10

Television_Array[2]: Inch = 35, Channel number = 15, Volume = 10

Television_Array[3]: Inch = 40, Channel number = 20, Volume = 10

5. Inheritance

클래스 상속은 이미 정의되어 있는 클래스의 멤버 변수들과 함수들을 새로 만드는 클래스에서 물려받아서 그대로 사용 가능하도록 하는 기능이다. 이미 정의되어 있는 클래스를 부모 클래스라고 하고, 새로 만드는 클래스를

자식 클래스라고 한다. 부모 클래스에서 public과 protected로 선언된 멤버들만 사용할 수 있고, private으로 선언된 멤버들은 사용할 수 없다. protected는 private과 같은 개념인데 상속받은 자식 클래스에서만 접근이 허용된다. 다시 말해서, 자기 자신의 클래스에서는 public은 사용 가능, protected는 사용 가능, private은 사용 가능하고, 상속에 의한 자식 클래스에서는 public은 사용 가능, protected는 사용 가능, private은 사용 불가능하고, 일반적인 외부에서는 public은 사용 가능, protected는 불사용 가능, private은 사용 불가능하다.

```
class 자식클래스 이름 : public 부모클래스 이름 {
        멤버 변수들 선언;
        멤버 함수들 선언;
};
```

자식 클래스에서 생성자를 선언 시 부모 클래스에 속하는 멤버들을 먼저 선언하고 나서 자기 클래스에 속하는 멤버들을 선언한다. 그리고 : 뒤에 부모 클래스의 생성자를 선언한다. 부모 클래스에서는 private가 아니고 protected로 해줘야 자식 클래스에서 접근이 가능하여 초기화 할 수 있다.

```
class A {
protected:      // private가 아니고 protected로 해야 자식 클래스에서
                // 접근이 가능하여 초기화 할 수 있다.
      int a, b, c;

public:
```

```cpp
        A(int pa, int pb, int pc){
                a = pa, b = pb, c = pc;
        }
        ~A(){
        }
};


class B : public A {
private:
        int d;

public:
        B(int pa, int pb, int pc, int pd) : A(pa, pb, pc) {
                d = pd;
        }
        ~B(){
        }
};


void main(){
        B x(1,2,4,8);
}
```

함수 오버라이딩은 부모 클래스에 있는 멤버 함수 (= 메소드)를 자식 클래스에서 재정의 하는 것을 말한다. 자식 클래스가 부모 클래스에서 멤버

변수들과 멤버 함수들을 상속받는데, 상속 받은 멤버 함수의 내용을 무시하고 새로 작성하고자 하는 경우에 주로 사용한다. 자식 클래스에서 재정의하는 함수는 부모 클래스에 있는 멤버 함수의 반환형, 함수이름, 매개변수 갯수, 매개변수 자료형 등 모든 것이 같아야 하며, 함수 기능만 달라야 한다. 상속을 하면서 함수 오버라이딩을 여러 번 하다보면 어느 함수에서 어떤 내용들이 재정의 되었는지 알 수 없는 경우가 생기므로 특별한 경우에만 사용한다.

[프로그램 예]

```
#include "stdafx.h"
#include <iostream>
#include <string>
using namespace std;


class Television {
protected:   // 자기 자신만 존재하는 경우에는 private로 하지만,
             // 나중에 OLEDTV 클래스의 부모 클래스가 되어야
             // 하므로 protected로 해야 한다.
    int inch;
    int channel_number;
    int volume;
    bool cable;      // cable TV is connected or not
    bool video;      // video is connected or not
    bool xbox;       // xbox is connected or not
    bool hd;         // high definition TV or not
```

```cpp
public:
    Television(){   // 생성자 오버로딩 #1
        inch = 50;
        channel_number = 0;
        volume = 0;
        cable = true;
        video = true;
        xbox = false;
        hd = false;
    }


    // 생성자 오버로딩 #1 - 생성자 초기화 목록 형태로 변경한 것임
    Television() : inch(50), channel_number(0), volume(0),
        cable(true), video(true), xbox(false), hd(false) {}


    Television(int pInch, int pChannelNumber, int pVolume,
        bool pCable, bool pVideo, bool pXbox, bool pHd){
                                            // 생성자 오버로딩 #2

        inch = pInch;
        channel_number = pChannelNumber;
        volume = pVolume;
        cable = pCable;
        video = pVideo;
        xbox = pXbox;
```

```cpp
        hd = pHd;
}


// 생성자 오버로딩 #2 - 생성자 초기화 목록 형태로 변경한 것임
Television(int pInch, int pChannelNumber, int pVolume,
bool pCable, bool pVideo, bool pXbox, bool pHd) :
        inch(pInch), channel_number(pChannelNumber),
        volume(pVolume), cable(pCable), video(pVideo),
        xbox(pXbox), hd(pHd) {}
~Television(){   // 소멸자
}
int GetInch(){
        return inch;
}
int GetChannelNumber(){
        return channel_number;
}


void SetChannelNumber(int pNumber){
        if ((pNumber >= 0) && (pNumber <= 50)){
                channel_number = pNumber;
                        // [0 ~ 50]인 경우에만 수정이 된다.
                cout << "Channel number has been change
                        to " << channel_number << endl;
        }
```

```cpp
    if ((pNumber < 0) || (pNumber > 50)){
        cout << "Channel number can not be
        changed to " << pNumber << " because of
                out of range [0 ~ 50]" << endl;
    }
}


int GetVolume(){
    return volume;
}
void SetVolume(int pVolume){
    if ((pVolume >= 0) && (pVolume <= 100)){
        volume = pVolume;
        // [0 ~ 100] 인 경우에만 수정이 된다.
        cout << "Volume has been change to "
                << volume << endl;
    }
    if ((pVolume < 0) || (pVolume > 100)){
        cout << "Volume can not be changed to "
                << pVolume << " because of out of
                    range [0 ~ 100]" << endl;
    }
}

bool GetCable(){
```

```cpp
        return cable;
    }
    void PrintThis(){
        cout << "Address = " << this << endl;
    }
    void PrintClassName(){  // 자식 클래스에서 오버라이딩 된다.
        cout << "Class Name = Television" << endl;
    }
};  //  end of    class Television


class OLEDTV : public Television { // OLEDTV는 자식 클래스이고,
                                   // Television는 부모 클래스임
private:
    int Usb;            // number of USB ports
    bool HDMI;          // HDMI is connected or not
    bool DigitalCamera;  // Digital Camera connected or not


public:
    OLEDTV() : Television() {  // Television 클래스에서
                               // 생성자 오버로딩 #1을 사용한 경우
        Usb = 5;
        HDMI = true;
        DigitalCamera = false;
    }
```

```
// Television 클래스에서 생성자 오버로딩 #2를 사용한 경우
OLEDTV(int pInch, int pChannelNumber, int pVolume,
       bool pCable, bool pVideo, bool pXbox, bool pHd,
              // 여기서는 부모 클래스의 생성자를 쓰고,
       int pUsb, bool pHDMI, bool pDigitalCamera) :
              // 여기서는 자식 클래스의 생성자를 쓰고,
       Television(pInch, pChannelNumber, pVolume,
              pCable, pVideo, pXbox, pHd){
              // 부모 클래스의 매개변수들만
              // 자료형 없이 쓴다.
       Usb = pUsb;
       HDMI = pHDMI;
       DigitalCamera = pDigitalCamera;
}


~OLEDTV() {  // 소멸자
}

int GetUsb(){
       return Usb;
}

void SetUsb(int pUsb){
       if ((pUsb >= 0) && (pUsb <= 5)){
              Usb = pUsb;  // [0 ~ 5] 인 경우에만 수정함
```

```cpp
            cout << "Usb has been change to " << Usb
                    << endl;
        }
        if ((pUsb < 0) || (pUsb > 5)){
            cout << "Usb can not be changed to "
            << pUsb << " because of out of range
        [0 ~ 5]" << endl;
        }
    }


    void PrintClassName(){        // 부모 클래스에 있는 함수를
                                  // 오버라이딩 함
        cout << "Class Name = OLEDTV" << endl;
    }
};


int main() {
    Television SStv;        // 생성자 오버로딩 #1로 만든 경우임
                    // Television SStv(50, 0, 0, true, true,
                    // false, false); 와 같은 의미임
    Television LGtv(40, 10, 5, false, false, true, true);
                    // 생성자 오버로딩 #2로 만든 경우임
    Television HDtv = Television(35, 5, 10, false, true, false,
                    true);   // 생성자 오버로딩은 아니다
```

```
OLEDTV SKtv;          // OLEDTV 클래스에서 부모 클래스인
                      // Television 클래스의 생성자 오버로딩
                      // #1 방법을 사용한 경우
OLEDTV LStv(40, 10, 5, false, false, true, true, 4, false,
            true);   // OLEDTV 클래스에서 부모 클래스인
                     // Television 클래스의 생성자 오버로딩
                     // #2 방법을 사용한 경우
bool result;
cout << "    #08 - Inheritance - 01" << endl << endl;
cout << "SStv:  Inch = " << SStv.GetInch()
     << ",  Channel number = "
     << SStv.GetChannelNumber()
     << ",  Volume = " << SStv.GetVolume();
result = SStv.GetCable();
if (result == true) cout << ",  Cable is connected." << endl;
if (result == false) cout << ",  Cable is not connected."
                          << endl;

cout << "LGtv:  Inch = " << LGtv.GetInch()
     << ",  Channel number = "
     << LGtv.GetChannelNumber()
     << ",  Volume = " << LGtv.GetVolume();

result = LGtv.GetCable();
if (result == true) cout << ",  Cable is connected." << endl;
```

```cpp
    if (result == false) cout << ",  Cable is not connected."
                                    << endl;
    cout << endl << endl;
    cout << " 2) Constructor and Destructor of Inheritance "
         << endl;
    cout << "SKtv:  Inch = " << SKtv.GetInch()
         << ",  Channel number = "
         << SKtv.GetChannelNumber()
         << ",  Volume = " << SKtv.GetVolume();
    result = SKtv.GetCable();
    if (result == true) cout << ",  Cable is connected." << endl;
    if (result == false) cout << ",  Cable is not connected."
                                    << endl;
    cout << "SKtv:  Usb = " << SKtv.GetUsb() << endl << endl;
    cout << "LStv:  Inch = " << LStv.GetInch()
         << ",  Channel number = "
         << LStv.GetChannelNumber()
         << ",  Volume = " << LStv.GetVolume();

    result = LStv.GetCable();
    if (result == true) cout << ",  Cable is connected." << endl;
    if (result == false) cout << ",  Cable is not connected."
                                    << endl;
    cout << "LStv:  Usb = " << LStv.GetUsb() << endl << endl;
    cout << endl << endl;
```

```
cout << " 3) Function Overriding " << endl;
SStv.PrintClassName();
SKtv.PrintClassName();
return 0;
}
```

[실행 결과]
#08 - Inheritance - 01

SStv: Inch = 50, Channel number = 0, Volume = 0, Cable is connected.

LGtv: Inch = 40, Channel number = 10, Volume = 5, Cable is not connected.

2) Constructor and Destructor of Inheritance

SKtv: Inch = 50, Channel number = 0, Volume = 0, Cable is connected.

SKtv: Usb = 5

LStv: Inch = 40, Channel number = 10, Volume = 5, Cable is not connected.

LStv: Usb = 4

3) Function Overriding

Class Name = Television

Class Name = OLEDTV

6. Template Function

템플릿 함수는 함수의 매개변수나 반환값의 자료형을 애매모호한 형태로 정의하는 것을 말한다. 이 방법을 사용하면 함수의 이름과 기능은 같지만 자료형이 다른 여러 함수들을 하나의 함수로 정의할 수 있다. 참고로, 함수 오버로딩은 함수의 이름과 기능은 같지만 자료형이 다른 여러 함수들을 정의하는 것을 말하며, 템플릿 함수는 함수의 이름과 기능은 같지만 자료형이 다른 여러 함수들을 하나의 함수로 정의하는 것을 말한다. 그래서 코드의 재활용이라고 할 수 있다.

예를 들어 아래와 같이 함수이름과 기능이 같지만 단지 자료형이 int와 double로 다른 두개의 함수가 있다고 하자.

```
int F_SampleFunction (int parameter){
}
```

```
double F_SampleFunction (double parameter){
}
```

이것을 템플릿 함수로 표현하면 다음과 같다. 참고로, 아래서 TN은 Type Name의 약자이다.

```
template 〈typename TN〉
TN F_SampleFunction (TN parameter){
}
```

main()에서 F_SampleFunction()를 호출할 때, 매개변수인 parameter가

정수형인 int이면, TN은 int로 치환되어 사용되고, 매개변수인 parameter가 실수형인 double이면, TN은 double로 치환되어 사용된다. Template Class는 템플릿 함수와 같은 개념이며, 클래스를 정의할 때 사용하는 자료형을 애매모호한 상태로 정의하는 클래스이다. 이 기능을 사용하면 여러 자료형에 대응하는 여러 개의 클래스들을 하나의 클래스로 만들 수 있다.

예를 들어 아래와 같이 클래스 이름이 비슷하고, 멤버 변수와 멤버함수의 이름과 기능이 같지만 단지 자료형이 int와 double로 다른 두개의 클래스가 있다고 하자.

```
// 정수형 클래스
class Iclass {
private:
        int value;

public:
        void F_SetValue(int pValue){
                value = pValue;
        }
        int F_GetValue(){
                return value;
        }
};

// 실수형 클래스
```

```
class Dclass {
private:
        double value;

public:
        void F_SetValue(double pValue){
                value = pValue;
        }
        double F_GetValue(){
                return value;
        }
};
```

이것을 템플릿 클래스로 만들면 아래와 같다.

```
template ⟨typename TN⟩
class Newclass {      // 클래스 이름은 Iclass도 아니고 Dclass도 아닌
                      // 새로운 Newclass로 만듬
private:
        TN value;

public:
        void F_SetValue(TN pValue){
                value = pValue;
        }
        TN F_GetValue(){
```

```
                return value;

        }

};
```

main()에서 클래스 객체를 생성할 때는 아래와 같이 클래스 이름 다음에
〈해당 객체의 자료형〉 객체이름을 쓴다.

```
Newclass 〈int〉 NC2i;          // 정수형 객체를 생성할 때
Newclass 〈double〉 NC2d;   // 실수형 객체를 생성할 때
```

```
// 정수형 클래스
class Iclass {
private:
        double average;
public:
        double F_CalculateAverage (int sum, int num){
                average = (double)sum / (double)num;
                return average;
        }
};
```

```
// 실수형 클래스
class Dclass {
private:
        double average;
public:
```

```
double F_CalculateAverage (double sum, double num){
        average = (double)sum / (double)num;
    return average;
        }
};
```

이것을 템플릿 클래스로 만들면 아래와 같다.

```
template 〈typename TN1, typename TN2, typename TN3〉
class Newclass {   // 클래스 이름은 Iclass도 아니고 Dclass도 아닌
                   새로운 Newclass로 만듦
private:
    TN3 average;


public:
    TN3 F_CalculateAverage (TN1 sum, TN2 num){
            average = (TN3)sum / (TN3)num;
        return average;
            }
};
```

main()에서 클래스 객체를 생성할 때는 아래와 같이 클래스 이름 다음에 〈해당 객체의 자료형〉 객체이름을 쓴다.

```
Newclass 〈int, int, double〉 NC2i;        // 정수형 객체를 생성할 때
Newclass 〈double, double, double〉 NC2d;
                            // 실수형 객체를 생성할 때
```

[프로그램 예]

```cpp
#include "stdafx.h"
#include <iostream>
#include <string>
using namespace std;
// 오버로딩 형태로 두개의 int F_FindMaxValue(int pN1, int pN2)와
// double F_FindMaxValue(double pN1, double pN2)를 사용 시
int F_FindMaxValue(int pN1, int pN2){
    int result;
    if (pN1 >= pN2) result = pN1;
    if (pN1 < pN2) result = pN2;
    return result;
}


double F_FindMaxValue(double pN1, double pN2){
    double result;
    if (pN1 >= pN2) result = pN1;
    if (pN1 < pN2) result = pN2;
    return result;
}


// 위에 있는 두 개의 함수 int F_FindMaxValue(int pN1, int pN2)와
// double F_FindMaxValue(double pN1, double pN2) 대신에
// template 형태로 아래 한 개를 사용하는 경우
template <typename TN>
```

```cpp
TN F_FindMaxValue(TN pN1, TN pN2){
    TN result;
    if (pN1 >= pN2) result = pN1;
    if (pN1 < pN2) result = pN2;
    return result;
}
// 클래스 이름이 비슷하고, 멤버 변수와 멤버함수의 이름과 기능이 같고
// 단지 자료형이 int와 double로 다른 두개의 클래스를 각각 선언할 때
class Iclass {
private:
    int value;

public:
    void F_SetValue(int pValue){
        value = pValue;
    }
    int F_GetValue(){
        return value;
    }
};

class Dclass {
private:
    double value;
public:
```

```
    void F_SetValue(double pValue){

            value = pValue;

    }

    double F_GetValue(){

            return value;

    }

};
```

```
// 위와 같은 두개의 클래스 대신에 하나의 템플릿 클래스로 만든 경우
template ⟨typename TN⟩
class Newclass {      // 클래스 이름은 Iclass도 아니고 Dclass도 아닌
                      // 새로운 Newclass로 만듬
private:
    TN value;


public:
    void F_SetValue(TN pValue){

            value = pValue;

    }
    TN F_GetValue(){

            return value;

    }
};
```

```
// 3) 두 개 이상의 자료형을 사용하는 템플릿 클래스
```

```cpp
// 정수형 클래스
class Iclass2 {
private:
        double average;
public:
        double F_CalculateAverage(int sum, int num){
                average = (double)sum / (double)num;
                return average;
        }
};


// 실수형 클래스
class Dclass2 {
private:
        double average;
public:
        double F_CalculateAverage(double sum, double num){
                average = (double)sum / (double)num;
                return average;
        }
};


// 이것을 템플릿 클래스로 만들면 아래와 같다.
template <typename TN1, typename TN2, typename TN3>
class Newclass2 {     // 클래스 이름은 Iclass도 아니고 Dclass도 아닌
```

// 새로운 Newclass로 만듬

private:

    TN3 average;

public:

    TN3 F_CalculateAverage(TN1 sum, TN2 num){

        average = (TN3)sum / (TN3)num;

        return average;

    }

};

int main() {

    int i = 10, j = 20, k;

    double di = 10.3, dj = 20.5, dk;

    Iclass IC;

    Dclass DC;

    Newclass〈int〉 NCi;

    Newclass〈double〉 NCd;

    Iclass2 IC2;

    Dclass2 DC2;

    Newclass2 〈int, int, double〉 NC2i;   // 정수형 객체를 생성

    Newclass2 〈double, double, double〉 NC2d;

                        // 실수형 객체를 생성

```cpp
cout << "   #09 - Template - 01" << endl << endl;
k = F_FindMaxValue(i, j);
cout << "i = " << i << ", j = " << j << ", Max value = " << k
     << endl;
dk = F_FindMaxValue(di, dj);
cout << "di = " << di << ", dj = " << dj << ", Max value = "
     << dk << endl;
cout << endl << endl;


cout << " 2) Template Class " << endl;
IC.F_SetValue(10);
cout << "Value of IC = " << IC.F_GetValue() << endl;
DC.F_SetValue(20.5);
cout << "Value of DC = " << DC.F_GetValue() << endl;
NCi.F_SetValue(50);
cout << "Value of NCi = " << NCi.F_GetValue() << endl;
NCd.F_SetValue(70.7);
cout << "Value of NCd = " << NCd.F_GetValue() << endl;
cout << endl << endl;


cout << " 3) Template with more than 2 data types "
     << endl;
cout << "Average of IC2 = "
     << IC2.F_CalculateAverage(30, 4) << endl;
cout << "Average of DC2 = "
```

```
                    << DC2.F_CalculateAverage(50.5, 5) << endl;
        cout << "Average of NC2i = "
                    << NC2i.F_CalculateAverage(30, 4) << endl;
        cout << "Average of NC2d = "
                    << NC2d.F_CalculateAverage(50.5, 5) << endl;
        return 0;
}
```

[실행 결과]
   #09 - Template - 01

i = 10, j = 20, Max value = 20
di = 10.3, dj = 20.5, Max value = 20.5

 2) Template Class
Value of IC = 10
Value of DC = 20.5
Value of NCi = 50
Value of NCd = 70.7

 3) Template with more than 2 data types
Average of IC2 = 7.5
Average of DC2 = 10.1
Average of NC2i = 7.5
Average of NC2d = 10.1

7. Copy Constructor with No Error

복사 생성자를 사용함으로써 제품 정보를 저장하는 배열 사용 시 발생하는 문제점을 해결하는 방법에 대해 알아보자. 앞에서는 Television 클래스를 구성하는 모든 멤버들이 단순히 int와 bool 자료형을 가지고 있었다. 그래서 아무런 문제가 없었다. 그런데 주소를 다루는 포인터 변수가 추가되면 문제가 발생할 수 있다. 예를 들어, 5개 제품들에 대해 코드번호, 모델번호, 연속번호가 다음과 같이 주어졌다고 하자.

	Code Number	Model Number	Serial Number
SS	101	10131	101551
LG	102	10242	102341
HD	103	10354	103423
GS	104	10423	104311
SK	105	10573	105941

복사하는 방법에는 얕은 복사(Shallow Copy)와 깊은 복사(Deep Copy) 두 가지 방법이 있다. 얕은 복사는 말 그대로 일반 변수의 값은 값 그대로 복사하고, 포인터 변수의 주소값도 그대로 주소값을 복사한다. 그래서 서로 다른 두 포인터 변수들이 같은 주소를 공유하게 된다. 그래서 하나의 포인터 변수가 정보를 수정하면 다른 포인터 변수의 정보도 따라서 수정이 되어 문제가 발생한다.

깊은 복사는 복사 생성자 (Copy Constructor)를 사용하는 방법으로 일반 변수의 값은 값 그대로 복사하고, 포인터 변수의 경우에는 새로운 메모리 공간을 확보한 뒤에 주소값이 가리키는 장소의 내용까지 복사한다. 그래서 완벽하게 독립적인 형태로 복사된다.

```
// 프로그램이 비정상적으로 실행되는 경우
Television GStv;    // 변수 선언 부분에서 이와 같이 선언
GStv = SStv;
```

프로그램 중간부분에서 이와 같이 초기값을 주면 문제가 발생한다. 이 문제를 해결하기 위해서는 아래 방법을 사용해야 한다.

프로그램이 정상적으로 실행되는 경우 1:
변수 선언 부분에서 복사 생성자를 사용해서 아래와 같이 선언한다.
```
Television SKtv(SStv);
```

프로그램이 정상적으로 실행되는 경우 2:
변수 선언 부분에서 일반적인 방법으로 객체 GKtv를 선언하고, 프로그램 중간에서 Television(HDtv) 형태로 하면, 문제가 발생하지 않게 된다.
```
Television GKtv;
GKtv = Television(HDtv);
```

[프로그램 예]
```
#include "stdafx.h"
#include <iostream>
#include <string>
using namespace std;
```

```cpp
class Television {
private:
        int inch;
        int channel_number;
        int volume;
        bool cable;     // cable TV is connected or not
        bool video;     // video is connected or not
        bool xbox;      // xbox is connected or not
        bool hd;        // high definition TV or not

        int *brand_numbers;  // [0] = 제품 코드번호, [1] = 제품 모델
                             // 번호, [2] = 제품 시리얼번호

public:
        // 생성자 오버로딩 #1
        Television(){
                inch = 50;
                channel_number = 0;
                volume = 0;
                cable = true;
                video = true;
                xbox = false;
                hd = false;

                brand_numbers = new int[3];
```

```
                              // 동적 메모리 할당방식으로
                              // 정수형 공간 3개를 받음
    brand_numbers[0] = 101;        // 제품 코드번호
    brand_numbers[1] = 10131;      // 제품 모델번호
    brand_numbers[2] = 101551;     // 제품 시리얼번호
}


// 생성자 오버로딩 #2
Television(int pInch, int pChannelNumber, int pVolume,
        bool pCable, bool pVideo, bool pXbox, bool pHd,
        int pCodeNumber, int pModelNumber,
        int pSerialNumber) {
    inch = pInch;
    channel_number = pChannelNumber;

    volume = pVolume;
    cable = pCable;
    video = pVideo;
    xbox = pXbox;
    hd = pHd;
    brand_numbers = new int[3];
            // 동적 메모리방식으로 정수형 공간 3개를 받음.

    brand_numbers[0] = pCodeNumber;    //제품코드번호
    brand_numbers[1] = pModelNumber;   //제품모델번호
```

```cpp
        brand_numbers[2] = pSerialNumber; //제품시리얼번호
    }


    // 복사 생성자   Copy Constructor
    Television(Television& T){
        inch = T.inch;
        channel_number = T.channel_number;
        volume = T.volume;
        cable = T.cable;
        video = T.video;
        xbox = T.xbox;
        hd = T.hd;

        brand_numbers = new int[3];
                // 동적 할당방식으로 정수형 공간 3개를 받음
        brand_numbers[0] = T.brand_numbers[0];   //코드번호
        brand_numbers[1] = T.brand_numbers[1];   //모델번호
        brand_numbers[2] = T.brand_numbers[2];//시리얼번호
    }

    ~Television(){   // 소멸자
    }
    int GetInch(){
        return inch;
    }
```

```cpp
int GetChannelNumber(){
        return channel_number;
}
void SetChannelNumber(int pNumber){
        if ((pNumber >= 0) && (pNumber <= 50)){
                channel_number = pNumber;
                        // [0 ~ 50] 인 경우에만 수정됨
                cout << "Channel number has been change
                        to " << channel_number << endl;
        }

        if ((pNumber < 0) || (pNumber > 50)){
                cout << "Channel number can not be
                changed to " << pNumber << " because of
                out of range [0 ~ 50]" << endl;
        }
}


int GetVolume(){
        return volume;
}
void SetVolume(int pVolume){
        if ((pVolume >= 0) && (pVolume <= 100)){
                volume = pVolume;
                        // [0 ~ 100] 인 경우에만 수정됨
```

```cpp
                cout << "Volume has been change to "
                        << volume << endl;
        }
        if ((pVolume < 0) || (pVolume > 100)){
                cout << "Volume can not be changed to "
                        << pVolume << " because of out of
                                range [0 ~ 100]" << endl;
        }
}


bool GetCable(){
        return cable;
}
void PrintThis(){
        cout << "Address = " << this << endl;
}


int GetBrandCodeNumber(){
        return brand_numbers[0];
}
void SetBrandCodeNumber(int pCodeNumber){
        brand_numbers[0] = pCodeNumber;
}


int GetBrandModelNumber(){
```

```
                return brand_numbers[1];
        }
        void SetBrandModelNumber(int pModelNumber){
                brand_numbers[1] = pModelNumber;
        }


        int GetBrandSerialNumber(){
                return brand_numbers[2];
        }
        void SetBrandSerialNumber(int pSerialNumber){
                brand_numbers[2] = pSerialNumber;
        }
}; // end of    class Television


int main() {
        Television SStv;   // 생성자 오버로딩 #1 방법으로 만든 경우
        Television LGtv (40, 10, 5, false, false, true, true, 102,
                        10242, 102341);
                        // 생성자 오버로딩 #2로 만든 경우
        Television HDtv = Television(35, 5, 10, false, true, false,
                        true, 103, 10354, 103423);
                        // LGtv와 같은 경우의 다른 표현 방법임
        Television GStv;        // 복사생성자를 사용하지 않았기 때문에
                                // 단순 복사방식이 적용되어 문제 발생
        Television SKtv(LGtv);   // 복사생성자를 사용하므로 실행됨
```

```
                           // 복사생성자를 사용해서 변수선언 및 초기화 함
bool result;

cout << "    #07 - 2 - Copy Constructor with Error
                     복사 생성자 - 01" << endl << endl;
cout << "SStv:  Inch = " << SStv.GetInch()
        << ",  Channel number = "
        << SStv.GetChannelNumber()
        << ",  Volume = " << SStv.GetVolume();


result = SStv.GetCable();
if (result == true) cout << ",  Cable is connected." << endl;
if (result == false) cout << ",  Cable is not connected."
                                    << endl;


cout << "SStv:  Brand Code Number = "
        << SStv.GetBrandCodeNumber()
        << ",  Brand Model Number = "
        << SStv.GetBrandModelNumber()
        << ",  Brand Serial Number = "
        << SStv.GetBrandSerialNumber()
        << endl << endl;


cout << "LGtv:  Inch = " << LGtv.GetInch()
        << ",  Channel number = "
```

```cpp
                    << LGtv.GetChannelNumber()
                    << ", Volume = " << LGtv.GetVolume();

    result = LGtv.GetCable();
    if (result == true) cout << ", Cable is connected." << endl;
    if (result == false) cout << ", Cable is not connected."
                                        << endl;

    cout << "LGtv: Brand Code Number = "
            << LGtv.GetBrandCodeNumber()
            << ", Brand Model Number = "
            << LGtv.GetBrandModelNumber()
            << ", Brand Serial Number = "
            << LGtv.GetBrandSerialNumber()
            << endl << endl;

    cout << "HDtv: Inch = " << HDtv.GetInch()
            << ", Channel number = "
            << HDtv.GetChannelNumber()
            << ", Volume = " << HDtv.GetVolume();

    result = HDtv.GetCable();
    if (result == true) cout << ", Cable is connected." << endl;
    if (result == false) cout << ", Cable is not connected."
                                        << endl;
```

```
cout << "HDtv:  Brand Code Number = "
        << HDtv.GetBrandCodeNumber()
        << ",  Brand Model Number = "
        << HDtv.GetBrandModelNumber()
        << ",  Brand Serial Number = "
        << HDtv.GetBrandSerialNumber()
        << endl << endl;


cout << "   #07 - 2 - 프로그램 중간에서 GStv = SStv 형태로
        초기화 하는 경우 - 문제 발생함 - 02" << endl << endl;
GStv = SStv;
cout << "GStv:  Inch = " << GStv.GetInch()
        << ",  Channel number = "
        << GStv.GetChannelNumber()
        << ",  Volume = " << GStv.GetVolume();
result = GStv.GetCable();
if (result == true) cout << ",  Cable is connected." << endl;
if (result == false) cout << ",  Cable is not connected."
                                    << endl;


cout << "GStv:  Brand Code Number = "
        << GStv.GetBrandCodeNumber()
        << ",  Brand Model Number = "
        << GStv.GetBrandModelNumber()
        << ",  Brand Serial Number = "
```

```cpp
                      << GStv.GetBrandSerialNumber()
                      << endl << endl;
cout << "Change brand code number, model number and
                 serial number of GStv" << endl;
GStv.SetBrandCodeNumber(104);
GStv.SetBrandModelNumber(10423);
GStv.SetBrandSerialNumber(104311);

cout << "GStv:  Inch = " << GStv.GetInch()
         << ",  Channel number = "
         << GStv.GetChannelNumber()
         << ",  Volume = " << GStv.GetVolume();

result = GStv.GetCable();
if (result == true) cout << ",  Cable is connected." << endl;
if (result == false) cout << ",  Cable is not connected."
                          << endl;

cout << "GStv:  Brand Code Number = "
         << GStv.GetBrandCodeNumber()
         << ",  Brand Model Number = "
         << GStv.GetBrandModelNumber()
         << ",  Brand Serial Number = "
         << GStv.GetBrandSerialNumber()
         << endl << endl;
```

```cpp
    cout << "SStv:  Inch = " << SStv.GetInch()
        << ",  Channel number = "
        << SStv.GetChannelNumber()
        << ",  Volume = " << SStv.GetVolume();


result = SStv.GetCable();
if (result == true) cout << ",  Cable is connected." << endl;
if (result == false) cout << ",  Cable is not connected."
                    << endl;


    cout << "SStv:  Brand Code Number = "
        << SStv.GetBrandCodeNumber()
        << ",  Brand Model Number = "
        << SStv.GetBrandModelNumber()
        << ",  Brand Serial Number = "
        << SStv.GetBrandSerialNumber()
        << endl << endl;


    cout << "변수 선언 부분에서 Television SKtv(LGtv) 형태로 선언
            및 초기화를 하는 경우 - 문제 발생하지 않음"
        << endl << endl;
    cout << "SKtv:  Inch = " << SKtv.GetInch()
        << ",  Channel number = "
        << SKtv.GetChannelNumber()
        << ",  Volume = " << SKtv.GetVolume();
```

```cpp
result = SKtv.GetCable();
if (result == true) cout << ",  Cable is connected." << endl;
if (result == false) cout << ",  Cable is not connected."
                                        << endl;

cout << "SKtv:  Brand Code Number = "
        << SKtv.GetBrandCodeNumber()
        << ",  Brand Model Number = "
        << SKtv.GetBrandModelNumber()
        << ",  Brand Serial Number = "
        << SKtv.GetBrandSerialNumber()
        << endl << endl;

cout << "Change brand code number, model number and
        serial number of SKtv" << endl;
SKtv.SetBrandCodeNumber(105);
SKtv.SetBrandModelNumber(10573);
SKtv.SetBrandSerialNumber(105941);

cout << "SKtv:  Inch = " << SKtv.GetInch()
        << ",  Channel number = "
        << SKtv.GetChannelNumber()
        << ",  Volume = " << SKtv.GetVolume();

result = SKtv.GetCable();
```

```cpp
    if (result == true) cout << ",  Cable is connected." << endl;
    if (result == false) cout << ",  Cable is not connected."
                                                    << endl;


    cout << "SKtv:  Brand Code Number = "
            << SKtv.GetBrandCodeNumber()
            << ",  Brand Model Number = "
            << SKtv.GetBrandModelNumber()
            << ",  Brand Serial Number = "
            << SKtv.GetBrandSerialNumber()
            << endl << endl;


    cout << "LGtv:  Inch = " << LGtv.GetInch()
            << ",  Channel number = "
            << LGtv.GetChannelNumber()
            << ",  Volume = " << LGtv.GetVolume();


    result = LGtv.GetCable();
    if (result == true) cout << ",  Cable is connected." << endl;
    if (result == false) cout << ",  Cable is not connected."
                                                    << endl;


    cout << "LGtv:  Brand Code Number = "
            << LGtv.GetBrandCodeNumber()
            << ",  Brand Model Number = "
```

```
                    << LGtv.GetBrandModelNumber()

                    << ",  Brand Serial Number = "

                    << LGtv.GetBrandSerialNumber()

                    << endl << endl;

            return 0;

    }
```

[실행 결과]

   #07 - 2 - Copy Constructor with Error 복사 생성자 ? 01

SStv: Inch = 50, Channel number = 0, Volume = 0, Cable is connected.

SStv: Brand Code Number = 101, Brand Model Number = 10131, Brand Serial Number = 101551

LGtv: Inch = 40, Channel number = 10, Volume = 5, Cable is not connected.

LGtv: Brand Code Number = 102, Brand Model Number = 10242, Brand Serial Number = 102341

HDtv: Inch = 35, Channel number = 5, Volume = 10, Cable is not connected.

HDtv: Brand Code Number = 103, Brand Model Number = 10354, Brand Serial Number = 103423

#07 - 2 - 프로그램 중간에서 GStv = SStv 형태로 초기화 하는 경우
- 문제 발생함 - 02

GStv: Inch = 50, Channel number = 0, Volume = 0, Cable is connected.
GStv: Brand Code Number = 101, Brand Model Number = 10131, Brand Serial Number = 101551

Change brand code number, model number and serial number of GStv
GStv: Inch = 50, Channel number = 0, Volume = 0, Cable is connected.
GStv: Brand Code Number = 104, Brand Model Number = 10423, Brand Serial Number = 104311

SStv: Inch = 50, Channel number = 0, Volume = 0, Cable is connected.
SStv: Brand Code Number = 104, Brand Model Number = 10423, Brand Serial Number = 104311

변수 선언 부분에서 Television SKtv(LGtv) 형태로 선언 및 초기화를 하는 경우 - 문제 발생하지 않음

SKtv: Inch = 40, Channel number = 10, Volume = 5, Cable is not connected.

SKtv: Brand Code Number = 102,   Brand Model Number = 10242,   Brand Serial Number = 102341

Change brand code number, model number and serial number of SKtv

SKtv: Inch = 40,   Channel number = 10,   Volume = 5,   Cable is not connected.

SKtv: Brand Code Number = 105,   Brand Model Number = 10573,   Brand Serial Number = 105941

LGtv: Inch = 40,   Channel number = 10,   Volume = 5,   Cable is not connected.

LGtv: Brand Code Number = 102,   Brand Model Number = 10242,   Brand Serial Number = 102341

Chapter 2. Breadth First Search

    게임 제작 시, 게임 논리를 구성하는 과정에서 중요하게 생각하는 것들 중에 하나는 적이 플레이어에게 접근하는 경로를 구성하는 방법이다. 여기에는 BFS (= Breadth First Search)와 DFS (= Depth First Search) 두 가지 방법들이 있다. 이 두 방법들 중에서 BFS 방법이 보다 더 효율적이다. BFS 방법은 현재 위치를 중심으로 주변을 조사해서 이동할 수 있는 경로들을 탐색하는 방법이다.

1. Breadth First Search

Breadth First Search 알고리즘에 대해 자세한 내용은 나중에 프로그램에서 설명하기로 하고, 먼저 간략한 형태로 예를 들어 설명하기로 한다.

```
const int map_row_size = 20;
const int map_column_size = 40;

char bfs_map[map_row_size][map_column_size];
                    // BFS 방법으로 path 찾을 때 사용
char map[map_row_size][map_column_size] = { };
                    // 게임 영역을 나타내는 맵

// BFS 방법으로 길을 찾을 때 사용하는 노드의 구조체
struct path_node {
    int x;  // x 위치
```

```cpp
        int y;   // y 위치

        int parent_id;  // 부모 id number
};


// 위치를 나타내는 구조체
struct position {

        int x;

        int y;
};


vector<path_node> bfs_list;   // 시작 위치부터 목적지까지의 길을
                      // 찾기 위해서 BFS 방법으로 만들어지는 리스트
vector<position> enemy_path;        // 적이 실제로 이동할 path


// 주변의 위치가 비어있는 경우에 새로운 노드를 리스트에 추가한다
// x와 y는 현재 위치이고,  id는 부모 노드의 id 번호이다
void add_new_node_to_bfs_list (int x, int y, int id) {
        path_node node;

        // 현재의 위치 (x,y) 위치가 빈 공간이거나 아이템이어서
        // 이동이 가능하다면
        if (bfs_map[y][x] == ' ' || bfs_map[y][x] == '.') {
                bfs_map[y][x] = '#';   // 현재위치를 방문한 것으로 표시
                node.x = x;
                node.y = y;
```

```
                node.parent_id = id;

                bfs_list.push_back(node);   // bfs_list 끝에다 추가한다

        }

}


// 적 위치 (ex,ey) 부터 내 위치 (x,y) 까지의 길을 찾는다
void FindPath (int ex, int ey,  int x, int y) {

        path_node node;

        position pos;

        int j, k;

        int index;


        // 길을 찾기 위해서 map 정보를 bfs_map에 복사한다
        for (k = 0; k <= map_row_size - 1; k++) {

                for (j = 0; j <= map_column_size - 1; j++) {

                        bfs_map[k][j] = map[k][j];

                }

        }


        // (A)  bfs_list를 새것으로 만든다
        bfs_list.clear();


        // (B)  bfs_list 첫번째 위치인 [0]에다  적의 현재 위치를 넣는다.
        // 아래 4줄이 모두 다 (B)에 해당한다
        node.x = ex;
```

```cpp
node.y = ey;
node.parent_id = -1;   // 적의 현재위치의 부모는 없어서 -1임
bfs_list.push_back(node);   //  bfs_list 끝에다 넣는다


// (C)  bfs_list에서 [0] 위치의 노드부터 실행한다
index = 0;


// bfs list의 노드들을 순서대로 하나씩 방문하면서
while (index < bfs_list.size()) {// (D)


        // 내 위치 (x,y)까지 도달했다면  (E)
        if (bfs_list[index].x == x && bfs_list[index].y == y) {
                enemy_path.clear();    // (P)
                // 적의 이동경로를 저장하는 enemy_path를
                // 비어있는 상태로 모두 지워서 초기화 한다


                // 적의 현재 위치가 저장되어 있는 [0] 위치에
                // 도달하지 않은 동안에    (Q)
                while (bfs_list[index].parent_id != -1) {
                        // (R)  bfs list의 현재 노드의 위치
                        // 정보를 pos 변수에 저장한 후에,
                        pos.x = bfs_list[index].x;
                        pos.y = bfs_list[index].y;


                        // (S)  pos 변수를 적의 이동경로 path
```

```
                    // list 끝에다 넣는다
                    enemy_path.push_back(pos);

                    // (T)  부모 노드로 이동한다
                    index = bfs_list[index].parent_id;
                }

                // (U)  while문을 벗어나 아래 A 위치로 간다
                break;
            }


        // (F)  아직 내 위치 (x,y)까지 도달하지 못한 경우에는
        //      현재 위치의 상/하/좌/우 위치를 조사해서 넣는다
        //      index는 bfs_list의 현재 노드의 인덱스이다
        //      아래 네 줄이 각각 F1, F2, F3, F4 이다
        add_new_node_to_bfs_list(bfs_list[index].x,
                            bfs_list[index].y - 1, index);
        add_new_node_to_bfs_list(bfs_list[index].x,
                            bfs_list[index].y + 1, index);
        add_new_node_to_bfs_list(bfs_list[index].x - 1,
                            bfs_list[index].y, index);
        add_new_node_to_bfs_list(bfs_list[index].x + 1,
                            bfs_list[index].y, index);

        // (G)  bfs_list의 다음번 노드로 이동한다
```

```
            index++;
        }

        // A 위치.  위의 break 문으로 while을 벗어나서 여기로 온다
        bfs_list.clear();   // bfs_list를 초기화 한다
}


//              M A I N
int main() {
    bool game_is_running_now = true;

    int x = 15;      // 플레이어인  나의 시작 위치 x
    int y = 16;      // 플레이어인  나의 시작 위치 y
    int old_x;       // 플레이어인  나의 과거 위치 x
    int old_y;       // 플레이어인  나의 과거 위치 y
    int ex = 2;      // 적 시작 위치 x
    int ey = 2;      // 적 시작 위치 y

    FindPath (ex, ey, x, y);   // 게임 시작 후 적이 나에게 접근함

    // G A M E  M A I N  P A R T
    while (game_is_running_now == true) {

            // 내가 위치를 이동 시, 적의 이동 경로를 다시 계산한다
            // (old_x, old_y)와 (x, y) 사이의 변환은 키보드 입력 시
```

```
        // 실행된다
        if (old_x != x || old_y != y) {
                FindPath (ex, ey, x, y);
        }


        // num % game_speed은 게임진행 속도를 조절하고,
        // enemy_path.size() != 0은 적이 이동할 경로가
        // 존재한다는 의미이다
        if (num % game_speed == 0 &&
                enemy_path.size() != 0) {
                ex = enemy_path.back().x;
                                // 적이 다음번에 이동할 x위치
                ey = enemy_path.back().y;
                                // 적이 다음번에 이동할 y위치

                enemy_path.pop_back();  // enemy_path에서
        }                               // 마지막 원소를 제거한다


        // 적이 내 위치까지 도달했다면
        if (ex == x && ey == y) {
                break;  // while문을 벗어나서 아래에 있는
                        // B위치로 이동한다
        }
    }
```

```
    // B위치.   위의 break문에 의해서 while문을 벗어나 여기로 온다
    cout << "GAME OVER" << endl;
    system("pause");
    return 0;
}
```

위에서 설명한 Breadth First Search 알고리즘 방법을 사용하여 적으로부터 플레이어의 현재 위치까지 길 찾는 방법에 대해 알아보자.

Step 1) #는 벽을 의미하고, E는 적을 의미하고, P는 플레이어인 나를 표현한다고 할 때, E부터 P까지 이동하는 경로를 찾는 과정에서 사용되는 bfs_map[][] 내부 초기상태가 다음과 같다고 하자.

	0	1	2	3	4	5	6
0		#				#	#
1	#	#				#	#
2	#			#	P		
3	#		E	#			
4	#			#			
5	#			#			
6	#	#					

Enemy인 적의 위치는 ex = 2, ey = 3 이고, Packman인 나의 위치는 x = 4, y = 2 이다.

Step 2) (A)에서 bfs_list는 초기화 된다.

Step 3) (B)에서 bfs_list의 노드를 { [인덱스 번호] - (x 위치, y 위치, 부모 인덱스 번호) } 구조로 표현한다고 가정하면,

bfs_list --->〉 { [0] - (2, 3, -1) } 이다.

그러면, bfs_map[][] 내부 상태는 다음과 같이 수정된다.

	0	1	2	3	4	5	6
0		#				#	#
1	#	#				#	#
2	#			#	P		
3	#		[0]	#			
4	#			#			
5	#			#			
6	#	#					

(C)에서 index = 0 으로 된다.

(D)에서 while 문장의 조건에서, index = 0 이고, bfs_list.size() = 1 이므로 실행된다.

(E)에서 적이 내 위치까지 도달하지 못했으므로 실행되지 않는다.

(F)에서 적의 현재 위치인 (2, 3)을 보니, 상/하/좌 방향으로는 이동이 가능하고, 우 방향으로는 이동이 불가능하다. 그러므로 F1, F2, F3는 제대로 실행되어 bfs_list에 추가되지만 F4는 벽 때문에 추가되지 않는다.

그래서 bfs_list는 아래와 같은 형태를 이루게 된다.

bfs_list ---〉   { [0] - (2, 3, -1) } ---〉
                { [1] - (2, 2, 0) } ---〉 { [2] - (2, 4, 0) } ---〉
                { [3] - (1, 3, 0) }

그러면, bfs_map[][] 내부 상태는 다음과 같이 수정된다.

	0	1	2	3	4	5	6
0		#				#	#
1	#	#				#	#
2	#		[1]	#	P		
3	#	[3]	[0]	#			
4	#		[2]	#			
5	#			#			
6	#	#					

(G)에서 index = 1 으로 된다.

다시 (D)의 while 문장으로 간다.

Step 4) (D)에서 while 문장의 조건에서, index = 1 이고, bfs_list.
size() = 4 이므로 실행된다.

(E)에서 적이 내 위치까지 도달하지 못했으므로 실행되지 않는다.

(F)에서 적의 현재 위치인 (2, 2)을 보니, 상/좌 방향으로는 이동이 가능
하고, 하/우 방향으로는 이동이 불가능하다. 그러므로 F1, F3는 제대로 실
행되어 bfs_list에 추가되지만 F2, F4는 추가되지 않는다.

그래서 bfs_list는 아래와 같은 형태를 이루게 된다.

bfs_list ---〉   { [0] - (2, 3, -1) } ---〉
                { [1] - (2, 2, 0) } ---〉 { [2] - (2, 4, 0) } ---〉
                { [3] - (1, 3, 0) } ---〉
                { [4] - (2, 1, 1) } ---〉 { [5] - (1, 2, 1) }

그러면, bfs_map[][] 내부 상태는 다음과 같이 수정된다.

	0	1	2	3	4	5	6
0		#				#	#
1	#	#	[4]			#	#
2	#	[5]	[1]	#	P		
3	#	[3]	[0]	#			
4	#		[2]	#			
5	#			#			
6	#	#					

(G)에서 index = 2 으로 된다.
다시 (D)의 while 문장으로 간다.

Step 5) (D)에서 while 문장의 조건에서, index = 2 이고, bfs_list.
size() = 6 이므로 실행된다.
(E)에서 적이 내 위치까지 도달하지 못했으므로 실행되지 않는다.
(F)에서 적의 현재 위치인 (2, 4)을 보니, 하/좌 방향으로는 이동이 가능
하고, 상/우 방향으로는 이동이 불가능하다. 그러므로 F2, F3는 제대로 실
행되어 bfs_list에 추가되지만 F1, F4는 추가되지 않는다.

그래서 bfs_list는 아래와 같은 형태를 이루게 된다.

bfs_list ---〉   { [0] - (2, 3, -1) } ---〉

{ [1] - (2, 2, 0) } ---〉{ [2] - (2, 4, 0) } ---〉

{ [3] - (1, 3, 0) } ---〉

{ [4] - (2, 1, 1) } ---〉{ [5] - (1, 2, 1) } ---〉

{ [6] - (2, 5, 2) } ---〉{ [7] - (1, 4, 2) }

그러면, bfs_map[][] 내부 상태는 다음과 같이 수정된다.

	0	1	2	3	4	5	6
0		#				#	#
1	#	#	[4]			#	#
2	#	[5]	[1]	#	P		
3	#	[3]	[0]	#			
4	#	[7]	[2]	#			
5	#		[6]	#			
6	#	#					

(G)에서 index = 3 으로 된다.

다시 (D)의 while 문장으로 간다.

Step 6) (D)에서 while 문장의 조건에서, index = 3 이고, bfs_list.size() = 8 이므로 실행된다.

(E)에서 적이 내 위치까지 도달하지 못했으므로 실행되지 않는다.

(F)에서 적의 현재 위치인 (1, 3)을 보니, 상/하/좌/우 방향 모두 다 이동이 불가능하다. 그러므로 F1, F2, F3, F4 모두 다 추가되지 않는다.

그래서 bfs_list는 아래와 같은 형태를 그대로 유지된다.

bfs_list ---〉   { [0] - (2, 3, -1) } ---〉

{ [1] - (2, 2, 0) } ---〉 { [2] - (2, 4, 0) } ---〉

{ [3] - (1, 3, 0) } ---〉

{ [4] - (2, 1, 1) } ---〉 { [5] - (1, 2, 1) } ---〉

{ [6] - (2, 5, 2) } ---〉 { [7] - (1, 4, 2) }

bfs_map[][] 내부 상태도 그대로 유지된다.

	0	1	2	3	4	5	6
0		#				#	#
1	#	#	[4]			#	#
2	#	[5]	[1]	#	P		
3	#	[3]	[0]	#			
4	#	[7]	[2]	#			
5	#		[6]	#			
6	#	#					

(G)에서 index = 4 으로 된다.

다시 (D)의 while 문장으로 간다.

Step 7) (D)에서 while 문장의 조건에서, index = 4 이고, bfs_list.size() = 8 이므로 실행된다.

(E)에서 적이 내 위치까지 도달하지 못했으므로 실행되지 않는다.

(F)에서 적의 현재 위치인 (2, 1)을 보니, 상/우 방향으로는 이동이 가능하고, 하/좌 방향으로는 이동이 불가능하다. 그러므로 F1, F4는 제대로 실

행되어 bfs_list에 추가되지만 F2, F3는 추가되지 않는다.

그래서 bfs_list는 아래와 같은 형태를 이루게 된다.

bfs_list ---〉   { [0] - (2, 3, -1) } ---〉

{ [1] - (2, 2, 0) } ---〉 { [2] - (2, 4, 0) } ---〉

{ [3] - (1, 3, 0) } ---〉

{ [4] - (2, 1, 1) } ---〉 { [5] - (1, 2, 1) } ---〉

{ [6] - (2, 5, 2) } ---〉 { [7] - (1, 4, 2) } ---〉

{ [8] - (2, 0, 4) } ---〉 { [9] - (3, 1, 4) }

그러면, bfs_map[][] 내부 상태는 다음과 같이 수정된다.

	0	1	2	3	4	5	6
0		#	[8]			#	#
1	#	#	[4]	[9]		#	#
2	#	[5]	[1]	#	P		
3	#	[3]	[0]	#			
4	#	[7]	[2]	#			
5	#		[6]	#			
6	#	#					

(G)에서 index = 5 으로 된다.
다시 (D)의 while 문장으로 간다.

Step 8) (D)에서 while 문장의 조건에서, index = 5 이고, bfs_list.size() = 10 이므로 실행된다.

(E)에서 적이 내 위치까지 도달하지 못했으므로 실행되지 않는다.

(F)에서 적의 현재 위치인 (1, 2)을 보니, 상/하/좌/우 방향으로 모두 이동이 불가능하다. 그러므로 F1, F2, F3, F4 모두 다 추가되지 않는다.

그래서 bfs_list는 그대로 아래와 같은 형태를 이루게 된다.

bfs_list ---〉   { [0] - (2, 3, -1) } ---〉
{ [1] - (2, 2, 0) } ---〉 { [2] - (2, 4, 0) } ---〉
{ [3] - (1, 3, 0) } ---〉
{ [4] - (2, 1, 1) } ---〉 { [5] - (1, 2, 1) } ---〉
{ [6] - (2, 5, 2) } ---〉 { [7] - (1, 4, 2) } ---〉
{ [8] - (2, 0, 4) } ---〉 { [9] - (3, 1, 4) }

그리고 bfs_map[][] 내부 상태도 그대로 유지된다.

	0	1	2	3	4	5	6
0		#	[8]			#	#
1	#	#	[4]	[9]		#	#
2	#	[5]	[1]	#	P		
3	#	[3]	[0]	#			
4	#	[7]	[2]	#			
5	#		[6]	#			
6	#	#					

(G)에서 index = 6 으로 된다.

다시 (D)의 while 문장으로 간다.

Step 9) (D)에서 while 문장의 조건에서, index = 6 이고, bfs_list. size() = 10 이므로 실행된다.

(E)에서 적이 내 위치까지 도달하지 못했으므로 실행되지 않는다.

(F)에서 적의 현재 위치인 (2, 5)을 보니, 하/좌 방향으로는 이동이 가능하고, 상/우 방향으로는 이동이 불가능하다. 그러므로 F2, F3는 제대로 실행되어 bfs_list에 추가되지만 F1, F4는 추가되지 않는다.

그래서 bfs_list는 아래와 같은 형태를 이루게 된다.

bfs_list ---〉   { [0] - (2, 3, -1) } ---〉

{ [1] - (2, 2, 0) } ---〉 { [2] - (2, 4, 0) } ---〉

{ [3] - (1, 3, 0) } ---〉

{ [4] - (2, 1, 1) } ---〉 { [5] - (1, 2, 1) } ---〉

{ [6] - (2, 5, 2) } ---〉 { [7] - (1, 4, 2) } ---〉

{ [8] - (2, 0, 4) } ---〉 { [9] - (3, 1, 4) } ---〉

{ [10] - (2, 6, 6) } ---〉 { [11] - (1, 5, 6) }

그러면, bfs_map[][] 내부 상태는 다음과 같이 수정된다.

	0	1	2	3	4	5	6
0		#	[8]			#	#
1	#	#	[4]	[9]		#	#
2	#	[5]	[1]	#	P		
3	#	[3]	[0]	#			
4	#	[7]	[2]	#			
5	#	[11]	[6]	#			
6	#	#	[10]				

(G)에서 index = 7 으로 된다.

다시 (D)의 while 문장으로 간다.

Step 10) (D)에서 while 문장의 조건에서, index = 7 이고, bfs_list.size() = 12 이므로 실행된다.

(E)에서 적이 내 위치까지 도달하지 못했으므로 실행되지 않는다.

(F)에서 적의 현재 위치인 (1, 4)을 보니, 상/하/좌/우 방향으로 모두 다 이동이 불가능하다. 그러므로 F1, F2, F3, F4 모두 다 추가되지 않는다.

그래서 bfs_list는 그대로 아래와 같은 형태를 이루게 된다.

```
bfs_list --->   { [0] - (2, 3, -1) } --->
                { [1] - (2, 2, 0) } ---> { [2] - (2, 4, 0) } --->
                { [3] - (1, 3, 0) } --->
                { [4] - (2, 1, 1) } ---> { [5] - (1, 2, 1) } --->
                { [6] - (2, 5, 2) } ---> { [7] - (1, 4, 2) } --->
                { [8] - (2, 0, 4) } ---> { [9] - (3, 1, 4) } --->
                { [10] - (2, 6, 6) } ---> { [11] - (1, 5, 6) }
```

그러면, bfs_map[][] 내부 상태도 그대로 다음과 같이 유지된다.

	0	1	2	3	4	5	6
0		#	[8]			#	#
1	#	#	[4]	[9]		#	#
2	#	[5]	[1]	#	P		
3	#	[3]	[0]	#			
4	#	[7]	[2]	#			

5	#	[11]	[6]	#
6	#	#	[10]	

(G)에서 index = 8 으로 된다.

다시 (D)의 while 문장으로 간다.

Step 11) (D)에서 while 문장의 조건에서, index = 8 이고, bfs_list.
size() = 12 이므로 실행된다.

(E)에서 적이 내 위치까지 도달하지 못했으므로 실행되지 않는다.

(F)에서 적의 현재 위치인 (2, 0)을 보니, 우 방향으로는 이동이 가능하고,
상/하/좌 방향으로는 이동이 불가능하다. 그러므로 F4는 제대로 실행되어
bfs_list에 추가되지만 F1, F2, F3는 추가되지 않는다.

그래서 bfs_list는 아래와 같은 형태를 이루게 된다.

bfs_list --->   { [0] - (2, 3, -1) } --->
                { [1] - (2, 2, 0) } ---> { [2] - (2, 4, 0) } --->
                { [3] - (1, 3, 0) } --->
                { [4] - (2, 1, 1) } ---> { [5] - (1, 2, 1) } --->
                { [6] - (2, 5, 2) } ---> { [7] - (1, 4, 2) } --->
                { [8] - (2, 0, 4) } ---> { [9] - (3, 1, 4) } --->
                { [10] - (2, 6, 6) } ---> { [11]-(1, 5, 6) } -->
                { [12] - (3, 0, 8) }

그러면, bfs_map[][] 내부 상태는 다음과 같이 수정된다.

	0	1	2	3	4	5	6

	A	B	C	D	E	F	G
0		#	[8]	[12]		#	#
1	#	#	[4]	[9]		#	#
2	#	[5]	[1]	#	P		
3	#	[3]	[0]	#			
4	#	[7]	[2]	#			
5	#	[11]	[6]	#			
6	#	#	[10]				

(G)에서 index = 9 으로 된다.

다시 (D)의 while 문장으로 간다.

Step 12) (D)에서 while 문장의 조건에서, index = 9 이고, bfs_list.size() = 13 이므로 실행된다.

(E)에서 적이 내 위치까지 도달하지 못했으므로 실행되지 않는다.

(F)에서 적의 현재 위치인 (3, 1)을 보니, 우 방향으로는 이동이 가능하고, 상/하/좌 방향으로는 이동이 불가능하다. 그러므로 F4는 제대로 실행되어 bfs_list에 추가되지만 F1, F2, F3는 추가되지 않는다.

그래서 bfs_list는 아래와 같은 형태를 이루게 된다.

bfs_list ---〉 { [0] - (2, 3, -1) } ---〉

{ [1] - (2, 2, 0) } ---〉 { [2] - (2, 4, 0) } ---〉

{ [3] - (1, 3, 0) } ---〉

{ [4] - (2, 1, 1) } ---〉 { [5] - (1, 2, 1) } ---〉

{ [6] - (2, 5, 2) } ---〉 { [7] - (1, 4, 2) } ---〉

{ [8] - (2, 0, 4) } ---〉 { [9] - (3, 1, 4) } ---〉

{ [10] - (2, 6, 6) } ---〉 { [11]-(1, 5, 6) } --〉

{ [12] - (3, 0, 8) } ---〉 { [13] - (4, 1, 9) }

그러면, bfs_map[][] 내부 상태는 다음과 같이 수정된다.

	0	1	2	3	4	5	6
0		#	[8]	[12]		#	#
1	#	#	[4]	[9]	[13]	#	#
2	#	[5]	[1]	#	P		
3	#	[3]	[0]	#			
4	#	[7]	[2]	#			
5	#	[11]	[6]	#			
6	#	#	[10]				

(G)에서 index = 10 으로 된다.

다시 (D)의 while 문장으로 간다.

Step 13) (D)에서 while 문장의 조건에서, index = 10 이고, bfs_list.
size() = 14 이므로 실행된다.

(E)에서 적이 내 위치까지 도달하지 못했으므로 실행되지 않는다.

(F)에서 적의 현재 위치인 (2, 6)을 보니, 우 방향으로는 이동이 가능하고,
상/하/좌 방향으로는 이동이 불가능하다. 그러므로 F4는 제대로 실행되어
bfs_list에 추가되지만 F1, F2, F3는 추가되지 않는다.

그래서 bfs_list는 아래와 같은 형태를 이루게 된다.

bfs_list ---〉   { [0] - (2, 3, -1) } ---〉

{ [1] - (2, 2, 0) } ---〉 { [2] - (2, 4, 0) } ---〉

{ [3] - (1, 3, 0) } ---〉

{ [4] - (2, 1, 1) } ---〉 { [5] - (1, 2, 1) } ---〉

{ [6] - (2, 5, 2) } ---〉 { [7] - (1, 4, 2) } ---〉

{ [8] - (2, 0, 4) } ---〉 { [9] - (3, 1, 4) } ---〉

{ [10] - (2, 6, 6) } ---〉 { [11]-(1, 5, 6) } --〉

{ [12] - (3, 0, 8) } ---〉 { [13]-(4, 1, 9) } --〉

{ [14] - (3, 6, 10) }

그러면, bfs_map[][] 내부 상태는 다음과 같이 수정된다.

	0	1	2	3	4	5	6
0		#	[8]	[12]		#	#
1	#	#	[4]	[9]	[13]	#	#
2	#	[5]	[1]	#	P		
3	#	[3]	[0]	#			
4	#	[7]	[2]	#			
5	#	[11]	[6]	#			
6	#	#	[10]	[14]			

(G)에서 index = 11 으로 된다.

다시 (D)의 while 문장으로 간다.

Step 14) (D)에서 while 문장의 조건에서, index = 11 이고, bfs_list.
size() = 15 이므로 실행된다.

(E)에서 적이 내 위치까지 도달하지 못했으므로 실행되지 않는다.

(F)에서 적의 현재 위치인 (1, 5)을 보니 상/하/좌/우 방향 모두 다 이동이 불가능하다. 그러므로 F1, F2, F3, F4는 추가되지 않는다.

그래서 bfs_list는 그대로 아래와 같은 형태를 이루게 된다.

bfs_list ---〉 { [0] - (2, 3, -1) } ---〉
{ [1] - (2, 2, 0) } ---〉 { [2] - (2, 4, 0) } ---〉
{ [3] - (1, 3, 0) } ---〉
{ [4] - (2, 1, 1) } ---〉 { [5] - (1, 2, 1) } ---〉
{ [6] - (2, 5, 2) } ---〉 { [7] - (1, 4, 2) } ---〉
{ [8] - (2, 0, 4) } ---〉 { [9] - (3, 1, 4) } ---〉
{ [10] - (2, 6, 6) } ---〉 { [11]-(1, 5, 6) } --〉
{ [12] - (3, 0, 8) } ---〉 { [13]-(4, 1, 9) } --〉
{ [14] - (3, 6, 10) }

bfs_map[][] 내부 상태도 다음과 같이 유지된다.

	0	1	2	3	4	5	6
0		#	[8]	[12]		#	#
1	#	#	[4]	[9]	[13]	#	#
2	#	[5]	[1]	#	P		
3	#	[3]	[0]	#			
4	#	[7]	[2]	#			
5	#	[11]	[6]	#			
6	#	#	[10]	[14]			

(G)에서 index = 12 으로 된다.

다시 (D)의 while 문장으로 간다.

Step 15) (D)에서 while 문장의 조건에서, index = 12 이고, bfs_list. size() = 15 이므로 실행된다.

(E)에서 적이 내 위치까지 도달하지 못했으므로 실행되지 않는다.

(F)에서 적의 현재 위치인 (3, 0)을 보니, 우 방향으로는 이동이 가능하고, 상/하/좌 방향으로는 이동이 불가능하다. 그러므로 F4는 제대로 실행되어 bfs_list에 추가되지만 F1, F2, F3는 추가되지 않는다.

그래서 bfs_list는 아래와 같은 형태를 이루게 된다.

```
bfs_list ---〉   { [0] - (2, 3, -1) } ---〉
                { [1] - (2, 2, 0) } ---〉 { [2] - (2, 4, 0) } ---〉
                { [3] - (1, 3, 0) } ---〉
                { [4] - (2, 1, 1) } ---〉 { [5] - (1, 2, 1) } ---〉
                { [6] - (2, 5, 2) } ---〉 { [7] - (1, 4, 2) } ---〉
                { [8] - (2, 0, 4) } ---〉 { [9] - (3, 1, 4) } ---〉
                { [10] - (2, 6, 6) } ---〉 { [11]-(1, 5, 6) } --〉
                { [12] - (3, 0, 8) } ---〉 { [13]-(4, 1, 9) } --〉
                { [14] - (3, 6, 10) } ---〉 { [15] - (4, 0, 12) }
```

bfs_map[][] 내부 상태도 다음과 같이 수정된다.

	0	1	2	3	4	5	6
0		#	[8]	[12]	[15]	#	#
1	#	#	[4]	[9]	[13]	#	#
2	#	[5]	[1]	#	P		

3	#	[3]	[0]	#
4	#	[7]	[2]	#
5	#	[11]	[6]	#
6	#	#	[10]	[14]

(G)에서 index = 13 으로 된다.

다시 (D)의 while 문장으로 간다.

Step 16) (D)에서 while 문장의 조건에서, index = 13 이고, bfs_list. size() = 16 이므로 실행된다.

(E)에서 적이 내 위치까지 도달하지 못했으므로 실행되지 않는다.

(F)에서 적의 현재 위치인 (4, 1)을 보니, 하 방향으로는 이동이 가능하고, 상/좌/우 방향으로는 이동이 불가능하다. 그러므로 F2는 제대로 실행되어 bfs_list에 추가되지만 F1, F3, F4는 추가되지 않는다.

그래서 bfs_list는 아래와 같은 형태를 이루게 된다.

bfs_list ---〉 { [0] - (2, 3, -1) } ---〉

{ [1] - (2, 2, 0) } ---〉 { [2] - (2, 4, 0) } ---〉

{ [3] - (1, 3, 0) } ---〉

{ [4] - (2, 1, 1) } ---〉 { [5] - (1, 2, 1) } ---〉

{ [6] - (2, 5, 2) } ---〉 { [7] - (1, 4, 2) } ---〉

{ [8] - (2, 0, 4) } ---〉 { [9] - (3, 1, 4) } ---〉

{ [10] - (2, 6, 6) } ---〉 { [11]-(1, 5, 6) } -->

{ [12] - (3, 0, 8) } ---〉 { [13]-(4, 1, 9) } -->

{ [14]-(3, 6, 10) } ---〉 { [15]-(4, 0, 12) } -->

{ [16] - (4, 2, 13) }

bfs_map[][] 내부 상태도 다음과 같이 수정된다.

	0	1	2	3	4	5	6
0		#	[8]	[12]	[15]	#	#
1	#	#	[4]	[9]	[13]	#	#
2	#	[5]	[1]	#	P[16]		
3	#	[3]	[0]	#			
4	#	[7]	[2]	#			
5	#	[11]	[6]	#			
6	#	#	[10]	[14]			

(G)에서 index = 14 으로 된다.
다시 (D)의 while 문장으로 간다.

Step 17) (D)에서 while 문장의 조건에서, index = 14 이고, bfs_list.size() = 17 이므로 실행된다.
(E)에서 적이 내 위치까지 도달하지 못했으므로 실행되지 않는다.
(F)에서 적의 현재 위치인 (3, 6)을 보니, 우 방향으로는 이동이 가능하고, 상/하/좌 방향으로는 이동이 불가능하다. 그러므로 F4는 제대로 실행되어 bfs_list에 추가되지만 F1, F2, F3는 추가되지 않는다.

그래서 bfs_list는 아래와 같은 형태를 이루게 된다.
    bfs_list ---〉   { [0] - (2, 3, -1) } ---〉
                { [1] - (2, 2, 0) } ---〉 { [2] - (2, 4, 0) } ---〉

{ [3] - (1, 3, 0) } --->
{ [4] - (2, 1, 1) } ---> { [5] - (1, 2, 1) } --->
{ [6] - (2, 5, 2) } ---> { [7] - (1, 4, 2) } --->
{ [8] - (2, 0, 4) } ---> { [9] - (3, 1, 4) } --->
{ [10] - (2, 6, 6) } ---> { [11]-(1, 5, 6) } -->
{ [12] - (3, 0, 8) } ---> { [13]-(4, 1, 9) } -->
{ [14]-(3, 6, 10) } ---> { [15]-(4, 0, 12) } -->
{ [16] - (4, 2, 13) } ---> { [17] - (4, 6, 14) }

bfs_map[][] 내부 상태도 다음과 같이 수정된다.

	0	1	2	3	4	5	6
0		#	[8]	[12]	[15]	#	#
1	#	#	[4]	[9]	[13]	#	#
2	#	[5]	[1]	#	P[16]		
3	#	[3]	[0]	#			
4	#	[7]	[2]	#			
5	#	[11]	[6]	#			
6	#	#	[10]	[14]	[17]		

(G)에서 index = 15 으로 된다.

다시 (D)의 while 문장으로 간다.

Step 18) (D)에서 while 문장의 조건에서, index = 15 이고, bfs_list.
size() = 18 이므로 실행된다.

(E)에서 적이 내 위치까지 도달하지 못했으므로 실행되지 않는다.

(F)에서 적의 현재 위치인 (4, 0)을 보니, 상/하/좌/우 방향 모두 다 이동이 불가능하다. 그러므로 F1, F2, F3, F4는 추가되지 않는다.

그래서 bfs_list는 그대로 아래와 같은 형태를 이루게 된다.

bfs_list ---〉 { [0] - (2, 3, -1) } ---〉
{ [1] - (2, 2, 0) } ---〉 { [2] - (2, 4, 0) } ---〉
{ [3] - (1, 3, 0) } ---〉
{ [4] - (2, 1, 1) } ---〉 { [5] - (1, 2, 1) } ---〉
{ [6] - (2, 5, 2) } ---〉 { [7] - (1, 4, 2) } ---〉
{ [8] - (2, 0, 4) } ---〉 { [9] - (3, 1, 4) } ---〉
{ [10] - (2, 6, 6) } ---〉 { [11]-(1, 5, 6) } --〉
{ [12] - (3, 0, 8) } ---〉 { [13]-(4, 1, 9) } --〉
{ [14]-(3, 6, 10) } ---〉 { [15]-(4, 0, 12) } --〉
{ [16] - (4, 2, 13) } ---〉 { [17] - (4, 6, 14) }

bfs_map[][] 내부 상태도 다음과 같이 유지된다.

	0	1	2	3	4	5	6
0		#	[8]	[12]	[15]	#	#
1	#	#	[4]	[9]	[13]	#	#
2	#	[5]	[1]	#	P[16]		
3	#	[3]	[0]	#			
4	#	[7]	[2]	#			
5	#	[11]	[6]	#			
6	#	#	[10]	[14]	[17]		

(G)에서 index = 16 으로 된다.

다시 (D)의 while 문장으로 간다.

Step 19) (D)에서 while 문장의 조건에서, index = 16 이고, bfs_list.size() = 18 이므로 실행된다.

(E)에서 적의 위치인 bfs_list[16]은 (4, 2)이고, 플레이어인 내 위치도 (4, 2)이므로, 적이 내 위치까지 도달했기 때문에 실행된다.

(P)에서 enemy_path는 초기화 된다.

Step 20) (Q)에서 index = 16 이고, bfs_list[16].parent_id = 13 이므로 -1은 아니다. 그래서 실행된다.

(R)에서 pos = (4, 2) 된다.

(S)에서 (4, 2)를 enemy_path 끝에다 넣는다.

그래서 enemy_path는 아래와 같은 형태를 이루게 된다.

enemy_path ---⟩ { [0] - (4, 2) }

(T)에서 index = 13 으로 된다.

다시 (Q)의 while 문장으로 간다.

Step 21) (Q)에서 index = 13이고, bfs_list[13].parent_id = 9 이므로 -1은 아니다. 그래서 실행된다.

(R)에서 pos = (4, 1) 된다.

(S)에서 (4, 1)를 enemy_path 끝에다 넣는다.

그래서 enemy_path는 아래와 같은 형태를 이루게 된다.

enemy_path   ---> { [0] - (4, 2) } ---> { [1] - (4, 1) }

(T)에서 index = 9 으로 된다.

다시 (Q)의 while 문장으로 간다.

Step 22) (Q)에서 index = 9이고, bfs_list[9].parent_id = 4 이므로
-1은 아니다. 그래서 실행된다.

(R)에서 pos = (3, 1) 된다.

(S)에서 (3, 1)를 enemy_path 끝에다 넣는다.

그래서 enemy_path는 아래와 같은 형태를 이루게 된다.

enemy_path   ---> { [0] - (4, 2) } ---> { [1] - (4, 1) }

                  ---> { [2] - (3, 1) }

(T)에서 index = 4 으로 된다.

다시 (Q)의 while 문장으로 간다.

Step 23) (Q)에서 index = 4 이고, bfs_list[4].parent_id = 1 이므로
-1은 아니다. 그래서 실행된다.

(R)에서 pos = (2, 1) 된다.

(S)에서 (2, 1)를 enemy_path 끝에다 넣는다.

그래서 enemy_path는 아래와 같은 형태를 이루게 된다.

enemy_path   ---> { [0] - (4, 2) } ---> { [1] - (4, 1) }

                  ---> { [2] - (3, 1) } ---> { [3] - (2, 1) }

(T)에서 index = 1 으로 된다.

다시 (Q)의 while 문장으로 간다.

Step 24) (Q)에서 index = 1 이고, bfs_list[1].parent_id = 0 이므로 -1은 아니다. 그래서 실행된다.

(R)에서 pos = (2, 2) 된다.

(S)에서 (2, 2)를 enemy_path 끝에다 넣는다.

그래서 enemy_path는 아래와 같은 형태를 이루게 된다.

enemy_path ---〉{ [0] - (4, 2) } ---〉{ [1] - (4, 1) }

---〉{ [2] - (3, 1) } ---〉{ [3] - (2, 1) }

---〉{ [4] - (2, 2) }

(T)에서 index = 0 으로 된다.

다시 (Q)의 while 문장으로 간다.

Step 25) (Q)에서 index = 0 이고, bfs_list[0].parent_id = -1 이므로, (Q)의 while 문장이 실행되지 않는다.

(U)에서 break 문에 의해서 (D)의 while 문장을 벗어나서 (V)로 간다.

(V)에서 bfs_list가 초기화 되고, FindPath() 함수가 종료된다.

Step 26) 결과적으로, 적의 위치인 (2, 3)에서 시작

---〉 enemy_path[4] - [(2, 2)]

---〉 enemy_path[3] - [(2, 1)]

---〉 enemy_path[2] - [(3, 1)]

---〉   enemy_path[1] - [(4, 1)]

---〉   enemy_path[0] - [(4, 2)]

---〉   플레이어인 내 위치 (4, 2)에 도달

즉, 적의 위치인 (2, 3)에서 시작해서 enemy_path에 저장되어 있는 역순으로 이동해서 내 위치에 도달하게 된다. 다시 말하면,

적의 위치 (2, 3) ---〉 (2, 2) ---〉 (2, 1) ---〉 (3, 1) ---〉 (4, 1) ---〉 (4, 2) 플레이어인 내 위치에 도달한다.

결과적으로 map 상에서 보면, 적의 위치부터 플레이어인 나의 위치까지 이동 경로는 다음과 같다.

	0	1	2	3	4	5	6
0		#				#	#
1	#	#	(2)	(3)	(4)	#	#
2	#		(1)	#	P(5)		
3	#		E(0)	#			
4	#			#			
5	#			#			
6	#	#					

2. 길 찾기 게임 만들기

이제부터 적이 플레이어를 공격하고, 플레이어는 도망가면서 적이 흘린 코인을 획득해서 점수를 얻는 고전 게임인 길 찾기 게임을 만들어 보자.

Step 1) 게임을 만드는데 필요한 header file들을 추가하고, 20 X 40

크기의 맵을 추가하고, 맵을 보여주는 display_map() 함수 추가하고,
main()함수에서 맵을 보인다.

[프로그램 예]
```
#include "stdafx.h"
#include <iostream>
#include <stdio.h>
#include <windows.h>
#include <string>
#include <vector>
using namespace std;

const int map_row_size = 20;      // 가로줄이 20개, 세로줄이 40개
const int map_column_size = 40;  // 사각형 형태를 이룬다
```

```
char map[map_row_size][map_column_size] = {
    "#########################################",
    "#      #                    #          #",
    "#                #          #          #",
    "####     ####    ####      ###      ## ####",
    "#                                      #",
    "#      ###        ####          ##    #  #",
    "#      ###        #             #####    #",
    "# #    #  #       #   ####          #    #",
    "# #    #  #       #     #      #    #  ###",
    "# ######  #       #     #      #  ###    #",
    "#              ####                #     #",
    "#  ####          ##           ####      #",
    "#                     ##                #",
    "####   ##     ##      ##         ### ## #",
    "#       #          #       #     #      #",
    "##    #   ####    ## #  ####     #      #",
    "#     ##                  #          ##",
    "###    #      ######        ###       #",
    "#               ##                  ####",
    "#########################################"
};
```

char bfs_map[map_row_size][map_column_size];

                      // BFS 방법으로 path 찾을 때 사용함

// 화면에다 맵을 보여준다
void display_map() {
      int i;
      for (i = 0; i <= map_row_size - 1; i++) {
            printf("%s\n", map[i]);
      }
}

int main(){
      system("cls");

```
        display_map();   // 화면에 맵을 보인다


        system("pause");
    return 0;
}
```

Step 2) 특정 위치로 이동하는 gotoxy() 함수 추가하고, main()에서 필요한 변수들을 선언하고, main()에서 키보드 사용하여 'P' 팩맨을 상/하/좌/우로 이동시키는 부분을 추가한다.


```
// 커서를 특정 위치로 이동한다
void gotoxy(short x, short y) {
        HANDLE hStdout = GetStdHandle(STD_OUTPUT_HANDLE);
        COORD position = { x, y };
        SetConsoleCursorPosition(hStdout, position);
}


int main(){
        bool game_is_running_now = true;
        int x = 15;      // 플레이어인 나의 시작 위치 x
        int y = 16;      // 플레이어인 나의 시작 위치 y
        int old_x;       // 플레이어인 나의 과거 위치 x
        int old_y;       // 플레이어인 나의 과거 위치 y
        int score = 0;  // 점수 = 획득한 코인 개수
        char player = 'P';      // 플레이어
```

```cpp
system("cls");
display_map();  // 화면에 맵을 보인다
gotoxy(x, y); cout << player;  // player를 보인다

// G A M E   M A I N   P A R T
while (game_is_running_now == true) {
    old_x = x;
    old_y = y;

    // 윗 방향 키
    if (GetAsyncKeyState(VK_UP)) {
        if (map[y - 1][x] == '.') {
            y--;
            score++;
        }
        if (map[y - 1][x] == ' ') y--;
    }
    // 아래 방향 키
    if (GetAsyncKeyState(VK_DOWN)) {
        if (map[y + 1][x] == '.') {
            y++;
            score++;
        }
        if (map[y + 1][x] == ' ') y++;
    }
```

```cpp
// 왼쪽 방향 키
if (GetAsyncKeyState(VK_LEFT)) {
        if (map[y][x - 1] == '.') {
                x--;
                score++;
        }
        if (map[y][x - 1] == ' ') x--;
}
// 오른쪽 방향 키
if (GetAsyncKeyState(VK_RIGHT)) {
        if (map[y][x + 1] == '.') {
                x++;
                score++;
        }
        if (map[y][x + 1] == ' ') x++;
}


// 플레이어의 옛날 위치에 새 위치에 플레이어를 보인다
gotoxy(old_x, old_y);
cout << " ";
gotoxy(x, y);
cout << player;
// 게임이 진행되는 동안에 현재 점수를 화면에 보여줌
gotoxy(45, 1);
cout << "SCORE = " << score;
```

```
            Sleep(100);
        }
        system("pause");
    return 0;
}
```

Step 3) 적은 자신의 현재 위치에서 팩맨 위치까지 Breadth First Search 방법을 사용하여 길을 찾는다. 이를 위해서

1) BFS 방법으로 길을 찾을 때 사용하는 노드의 구초체인 path_node를 선언하고, 위치를 나타내는 구조체인 position을 선언한다.

2) BFS 방법으로 만들어지는 리스트를 위해서 길이의 변화가 자유로운 벡터를 사용하여 vector〈path_node〉 bfs_list를 선언한다.

3) 길을 찾은 후에, 적의 위치부터 팩맨까지의 이동 경로를 표현하기 위해서 vector〈position〉 enemy_path를 선언한다.

4) 적 위치 (ex,ey) 부터 팩맨 위치 (x,y) 까지의 길을 찾기 위해서 void FindPath(int ex, int ey, int x, int y) 함수를 사용한다. 이 함수는 내부적으로 bfs_list[i]의 상/하/좌/우 주변의 위치가 비어있는 경우에 새로운 노드를 리스트에 추가하기 위해서 add_new_node_to_bfs_list(int x, int y, int id) 함수를 사용하여 현재 위치 (x,y)와 해당 부모의 id number를 저장한다.

```
// BFS 방법으로 길을 찾을 때 사용하는 노드의 구조체
struct path_node {
    int x;              // x 위치
    int y;              // y 위치
```

```
        int parent_id;          // 부모 id number
                                // 길을 찾을 때, 이전 위치로 이동함
};


// 위치를 나타내는 구조체
struct position {
        int x;
        int y;
};


vector<path_node> bfs_list;   // 시작위치부터 목적지까지의 길을
        // 찾기 위해서 BFS 방법으로 만들어지는 리스트이다
        // 적의 위치에서 플레이어 위치 방향으로 저장한다
        // Z 위치를 보면, bfs_list.push_back() 함수를 사용하므로
        // 뒤에다 넣어서 적의 위치에서 플레이어의 위치 방향으로 저장함


vector<position> enemy_path;      // 적이 실제로 이동할 path
        // 플레이어 위치에서 적 위치 방향으로 저장한다
        // Y 위치를 보면, enemy_path.push_back() 함수를
        // 사용하므로 뒤에다 넣기 때문에 플레이어의 위치에서
        // 적의 위치 방향으로 저장한다
        // main() 안에 있는 X 위치를 보면
        // enemy_path가 back()와 pop_back()를 사용하므로
        // 뒤에서 앞쪽으로 값을 읽어오기 때문에
        // 적의 위치에서 플레이어의 위치 방향 순서가 된다
```

```
// 해당 위치 (x, y)가 비어있는 경우에는 새로운 노드를 리스트에 추가함
// x와 y는 현재 위치이고,  id는 부모 노드의 id 번호이다
// FindPath()에서 4번 호출한다
void add_new_node_to_bfs_list(int x, int y, int id) {
    path_node node;

    // 현재의 위치 (x,y)가 빈 공간이거나 아이템이어서 이동이
    // 가능한 경우에는
    if (bfs_map[y][x] == ' ' || bfs_map[y][x] == '.') {
        bfs_map[y][x] = '#';  // 현재위치를 방문한 것으로 표시
        node.x = x;
        node.y = y;
        node.parent_id = id;
        bfs_list.push_back(node);       // Z 위치.
                // bfs_list 끝에다 추가하므로 적의 위치에서
                // 플레이어 위치 방향으로 저장한다
    }
}

// 적 위치 (ex,ey)부터 플레이어 위치 (x,y)까지의 길을 찾는다
void FindPath(int ex, int ey, int x, int y) {
    path_node node;
    position pos;
    int j, k;
    int index;
```

```
// 길을 찾기 위해서 map 정보를 bfs_map에 복사한다
for (k = 0; k <= map_row_size - 1; k++) {
        for (j = 0; j <= map_column_size - 1; j++) {
                bfs_map[k][j] = map[k][j];
        }
}
// (A)   bfs_list를 새것으로 만든다
bfs_list.clear();


// (B)   bfs_list 첫번째 위치인 [0]에다 적의 현재 위치를 넣는다.
// 아래 4줄이 모두 다 (B)에 해당한다
node.x = ex;
node.y = ey;
node.parent_id = -1;
                // 적의 현재 위치의 부모는 없기 때문에 -1로 함


bfs_list.push_back(node);       // bfs_list 끝에다 추가한다
// (C)   bfs_list에서 [0] 위치의 노드부터 실행한다
index = 0;


// bfs list의 노드들을 순서대로 하나씩 방문하면서
while (index <= bfs_list.size() - 1) {   // (D)
        // 플레이어인 나의 위치 (x,y)까지 도달했다면    (E)
        if (bfs_list[index].x == x && bfs_list[index].y == y) {
                enemy_path.clear();    // (P)
```

```
        // 적의 이동경로를 저장하는 enemy_path를
        // 비어있는 상태로 모두 지워서 초기화 한다

        // 적의 현재 위치가 저장되어 있는 [0] 위치에
        // 도달하지 않은 동안에    (Q)
        while (bfs_list[index].parent_id != -1) {
                // (R)  bfs list의 현재 노드의 위치
                // 정보를 pos 변수에 저장한 후에
                pos.x = bfs_list[index].x;
                pos.y = bfs_list[index].y;

                // (S)  pos 변수를   적의 이동경로인
                //   enemy_path list 끝에다 넣는다
                enemy_path.push_back(pos);   // Y
                // enemy_path list 끝에다 추가시켜서
                // 플레이어의 위치에서 적의 위치
                // 방향으로 저장하게 된다

                // (T)  부모 노드로 이동함으로써 한단계
                // 이전 단계로 이동한다
                index = bfs_list[index].parent_id;
        }

        // (U)  첫 번째 while문을 벗어나서
        // 아래에 있는 A 위치로 간다
```

```
            break;
        }


        // (F)  내 위치 (x,y)까지 도달하지 못한 경우에는 현재
        // 위치의 상/하/좌/우 위치를 각각 조사해서 추가시킨다
        // index는  bfs_list의 현재 노드의 인덱스이다
        // 아래 네 줄이 각각 F1, F2, F3, F4 이다
        add_new_node_to_bfs_list(bfs_list[index].x,
                        bfs_list[index].y - 1, index);
        add_new_node_to_bfs_list(bfs_list[index].x,
                        bfs_list[index].y + 1, index);
        add_new_node_to_bfs_list(bfs_list[index].x - 1,
                        bfs_list[index].y, index);
        add_new_node_to_bfs_list(bfs_list[index].x + 1,
                        bfs_list[index].y, index);


        // (G)  bfs_list의 다음번 노드로 이동한다
        index++;
    }


    // A 위치.  위의 break 문으로 while을 벗어나서 여기로 온다
    bfs_list.clear();
}

// M A I N   P R O G R A M
```

```
int main() {
    bool game_is_running_now = true;
    int x = 15;     // 플레이어인 나의 시작 위치 x
    int y = 16;     // 플레이어인 나의 시작 위치 y
    int old_x;      // 플레이어인 나의 과거 위치 x
    int old_y;      // 플레이어인 나의 과거 위치 y
    int ex = 2;     // 적 시작 위치 x
    int ey = 2;     // 적 시작 위치 y
    int game_speed = 3;         // 초기값으로 쉬운 경우임
    int score = 0;              // 점수 = 획득한 코인 갯수
    int count = 0;              // 게임이 매번 실행되는 횟수
    char player = 'P';          // 플레이어
    char enemy = 'E';           // enemy, 적

    system("cls");
    display_map();              // 화면에 맵을 보인다
    gotoxy(x, y); cout << player;  // player를 보인다
    FindPath(ex, ey, x, y);     // 게임 시작하면 enemy가 player로
                                // 길을 찾아서 접근한다

    // G A M E   M A I N   P A R T
    while (game_is_running_now == true) {
        old_x = x;
        old_y = y;
```

```
// 윗 방향 키
if (GetAsyncKeyState(VK_UP)) {
        if (map[y - 1][x] == '.') {
                y--;
                score++;
        }
        if (map[y - 1][x] == ' ') y--;
}


// 아래 방향 키
if (GetAsyncKeyState(VK_DOWN)) {
        if (map[y + 1][x] == '.') {
                y++;
                score++;
        }
        if (map[y + 1][x] == ' ') y++;
}


// 왼쪽 방향 키
if (GetAsyncKeyState(VK_LEFT)) {
        if (map[y][x - 1] == '.') {
                x--;
                score++;
        }
```

```
                    if (map[y][x - 1] == ' ') x--;
    }


    // 오른쪽 방향 키
    if (GetAsyncKeyState(VK_RIGHT)) {
            if (map[y][x + 1] == '.') {
                    x++;
                    score++;
            }
            if (map[y][x + 1] == ' ') x++;
    }


    // 플레이어인 내가 위치를 이동한 경우, 적의 이동
    // 경로를 다시 계산한다
    if (old_x != x || old_y != y) {
            FindPath(ex, ey, x, y);


            // 플레이어의 옛날 위치를 지우고,
            // 새 위치에 플레이어를 보인다
            gotoxy(old_x, old_y);
            cout << " ";
            gotoxy(x, y);
            cout << player;
    }
```

```
// 맵 상의 적의 현재 위치에 코인을 놓는다
map[ey][ex] = '.';
gotoxy(ex, ey);
cout << ".";

if (count % game_speed == 0 &&
              // 게임 진행 속도를 조절하기 위해서임
       enemy_path.size() != 0) {
              // enemy가 플레이어에게 다가올
              // 경로가 아직 남아 있다는 뜻임
       ex = enemy_path.back().x;
              // 적이 다음번에 이동할 x 위치
       ey = enemy_path.back().y;
              // 적이 다음번에 이동할 y 위치
       enemy_path.pop_back();       // X 위치
              // enemy_path에서 마지막 원소를
              // 제거한다
              // enemy_path가  back()와
              // pop_back()를 사용하므로 뒤에서
              // 앞쪽으로 값을 읽어오기 때문에
              // 적의 위치에서 플레이어의 위치 방향
              // 순서가 된다
}

// 적의 새 위치에 적을 표시한다
```

```cpp
		gotoxy(ex, ey);
		cout << enemy;

		// 적이 플레이어 위치까지 도달했다면
		if (ex == x && ey == y) {
			break; // while문을 벗어나서 아래에 있는
				// B 위치로 이동한다
		}
		// 게임이 진행되는 동안에 현재 점수를 화면에 보여줌
		gotoxy(45, 1);
		cout << "SCORE = " << score;
		Sleep(100);

		count++;
		if (count == 10000) count = 0;
			// 정수 한계를 넘을까봐 0으로 초기화 함
	}

	// B 위치.  위의 break문에 의해서 while문을 벗어나 여기로 옴
	system("cls");
	cout << "GAME OVER" << endl << endl;
	cout << "Your Score = " << score << endl << endl << endl;
	system("pause");
	return 0;
}
```

실행 화면)

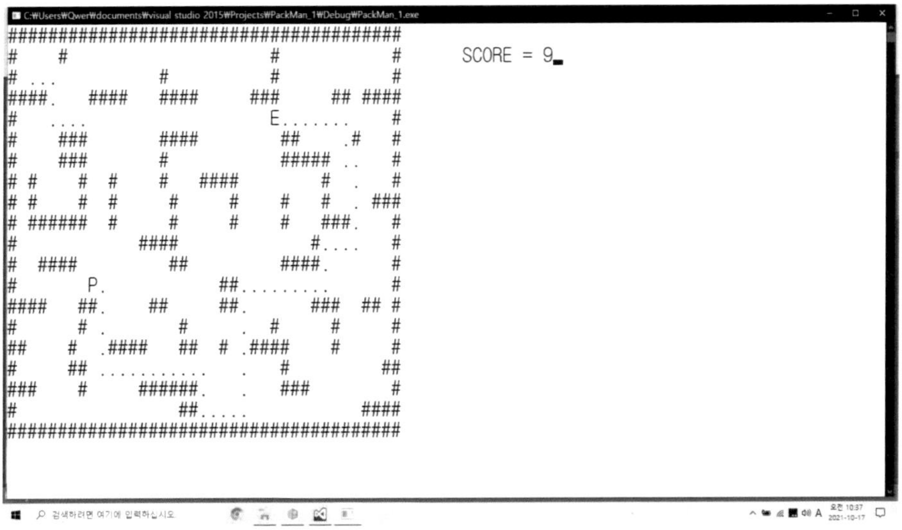

Fig. 2.1 실행 화면